셰익스피어의 소네트 154편

— Shakespeare's Sonnets —

윌리엄 셰익스피어 지음

맹은소 엮음

⊠스노우필

* 엮은이 소개
단국대학교 불어불문학과 졸업
출판사에서 외서 번역편집 업무를 익혔고
논문과 문학작품의 에디터로 활동한 경력이 있음

셰익스피어의 소네트 154편

발행 | 2024년 09월 01일
지은이 | 윌리엄 셰익스피어
엮은이 | 맹은소
펴낸곳 | 스노우필
등록 | 2023.04.26.(제2023-000038호)
주소 | 인천시 계양구 계산동 20, 주공@ 106-803
이메일 | lirra00@gmail.com
ISBN | 979-11-988506-7-6
가격 | 12,500원

차례

엮은이 서문

이 시집을 읽게 될 독자 분들께,

시를 더 알차고 재미있게 보기 위해서는 소네트 1번부터 보시기를 권하고 싶다. 원하는 곳부터 보실 수 있겠지만 단편적으로 이해될 수 있고, 어렵게 느껴질 수 있기 때문이다. 흐름상 이해될 수밖에 없는 부분들이 있었다. 어떤 곳에서는 원문과 조금 다르게 번역되는 부분들이 있었는데, 시풍에 더 맞고 어울리게 꾸미고 싶은 취지였으니 양해를 구하고 싶다. 최대한 원문에 충실하도록 노력했고, 시상의 느낌을 표현하도록 했다.

아무쪼록 독자 분들은 시를 읽으면서 즐겁고 행복한 시간이 되시기를 바란다. 독자 분들께 깊이 감사드리고, 특히, 그동안 함께해 주신 가족 분들께 감사드린다.

1,

아름다운 피조물로부터 우리의 욕망은 증가한다
그리하여 미의 장미는 결코 죽지 않을 것이다
그러나 무르익은 것들 시들게 되듯이
부드러운 상속자는 기억을 품을 수 있다
하지만 당신은, 자신의 밝은 눈에 기약을 했다
당신의 빛나는 불꽃에 자족의 연료를 공급하라
풍요가 있는 곳에 기근을 만드는 적수는
달콤한 당신에게 너무 잔인한 것이다
화려한 봄을 알리는 전령이여
세상의 신선한 장식을 꾸미는 당신은
새싹들로 모든 내용을 묻는다
그러나 무심한 일꾼은 인색하게 낭비를 만든다
연민스런 세상에서, 탐욕자가 되더라도
무덤과 당신 곁에서 세상의 만기를 먹기 위해

2,

마흔 번의 겨울이 당신의 이마를 덮으면
아름다움의 장에는 깊은 참호가 파인다
현재를 응시하는 젊음의 자랑스러운 제복은
낡아지고, 기세를 찾아볼 수 없을 것이다
그러나 당신의 모든 아름다움이 어디에 있는지 묻는다
당신의 탐욕의 날들의 보물이 있는 곳은
이를테면, 당신의 깊게 가라앉은 눈 아래
모든 것을 잠식시키는 수치심과 무료한 칭찬일 것이다
얼마나 더 많은 칭찬이 당신의 아름다움에 어울릴 것인가
'이 멋진 아이가 숫자를 계산하고
오랜 변명을 할 수 있다'고 답한다면
그의 아름다움은 증명된 셈이다!
우리는 나이가 들면 새롭게 탄생되는 것이다
차갑게 느낄 때 당신의 피가 따뜻해지는 것을 보세요

3,

유리잔을 보고 당신에게 보이는 얼굴을 말하라
이제는 다른 얼굴을 취해야 할 때이다
새롭게 일으키지 않으면 누가 고치겠는가
축복받지 못한 어머니, 세상을 속일지라도
미궁의 아름다운 여성이라면
당신의 산업을 경멸할 수 있는가
아니면 후손을 거부하고
자기 사랑의 무덤을 파는 어리석은 자가 있을까
당신은 어머니의 잔과 같고, 그녀는 당신 안에서
사월의 사랑스런 전성기를 불러들인다
황금기의 주름에도 불구하고
당신은 시대의 창을 통해 볼 것이다
당신이 살아 있더라도, 기억되지는 못할 것이다
죽는다면, 당신의 이미지와 함께 죽겠지요

4,

미모를 낭비하는 절제 못하는 사랑
아름다움의 유산을 소비하는가요
자연의 유산은 빌려줄 뿐이다
자연은 무상으로 빌려준다
그러면 어여쁜 구두쇠, 당신은 왜 남용하는가
당신에게 주어진 혜택을 알 수 있는가
이익 없는 고리업자는 어떻게 이용할 수 있는가
큰 금액을 위해서라도 살 수 없는가
혼자만의 교통을 위해서라면
자신의 달콤한 자아를 속이는 것이다
자연이 당신을 부른다면
그때를 받아들일 수 있는가
무상한 아름다움은 당신과 함께 무덤에 묻힌다
아니면, 고상한 집행자가 될 뿐이다

5.

그러한 시간들은 조용하게 다가선다
모든 눈이 머무는 사랑스러운 시선
폭군들은 전과 같이 연기를 할 것이다
그리고 불공평은 공정함으로 추진된다
결코 쉬지 않는 시간은 여름을 이끌고
혹독한 겨울 속에서 그를 몰아 혼란에 빠뜨린다
수액은 서리를 맞고, 갈망하는 잎들은 사라졌다
아름다움은 어디서나 눈 덮인 것처럼 드러나고
그래서 여름의 증류는 남아 있지 않았다
유리 벽에 갇힌 한때의 죄수
아름다움에서 아름다운 효과는 전무했다
그것이 무엇인지는 기억은 없었다
그러나 꽃은 겨울과 만나 증류되고
가볍게 그들의 모습은, 달콤하게 살아 있다

6,

그러면 겨울의 초라한 손이 소모되지 않게 하라
여름 안에서 당신이 증류되기도 전에
달콤한 어떤 몰향을 만들고
당신의 보물을 간직한 곳에서
아름다움의 보물이 파멸되기 전에
그러한 사랑은 금지된 고리업이 아니다
기꺼이 대가를 지불하는 사람들을 행복하게 한다
그것은 또 다른 당신을 번영시키는 것이다
아니면 열에 하나는 열 배로 더 행복할 것이다
열 배의 당신은 자신보다 더 행복하다
열 번 중 열 번째가 당신을 재구성한다면
떠나간 당신에게, 죽음이 무엇을 할 수 있겠는가
후손이 있는 곳에 남을 수 있을까
당신은 아름답기에 아집따위는 없을 것이다
죽음에 정복될지라도, 벌레들마저도

7.

오! 동쪽 하늘에서 은혜로운 빛이
불타는 고개를 들어 올리면, 우리의 눈에
새롭게 나타나는 광경에 경의를 표한다
신성한 위엄을 바라보는 시선으로
가파른 하늘 언덕길을 오르면
그것은 중년의 강인한 젊음을 닮아 있고
인간은 여전히 아름다움을 찬사한다
황금빛 순례에 참여하는 것이다
그러나 정상에서 지친 차가 내려올 때
그의 허약함으로 날은 휘청거린다
충실했던 순간들은 지나가고
그는 또다시 낮은 곳으로부터 다른 길을 본다
그러나 당신은, 태양보다 화려하게
아들이 있고, 죽음 없는 것과 같이

8.

음악이 울리면, 당신은 어째서 슬프게 듣는가
달콤한 전쟁도 아니고, 기쁨이 기쁨 속에서 즐거운데
당신은 어째서 즐겁지 않은 것을 사랑하는가
아니면 기꺼이 성가심을 받아들일 수 있는가
잘 조율된 소리가 진정한 화음이라면
결혼의 조합은 당신에게 어설플지 모른다
그들은 달콤하게 혼란스러운 당신을 비난한다
당신이 발견할 부분은 하나이다
하나의 현으로 달콤하게 다른 현에서 울린다면
다정한 짝의 말처럼, 서로에게 전해질 수 있다
아버지와 아이와 행복한 어머니는 닮아 있다
모두 하나의 즐거운 음표로 노래한다
노래는 다할 수 없이, 아주 하나같이
'혼자서는 아무것도 할 수 없다'고 노래한다

9,

미망인의 눈을 적시는 두려움
당신은 독신의 생활로 자신을 보내고 있는가
아, 자식 없이 죽음이 닥쳐온다면
세상은 짝없는 아내처럼 슬퍼할 것이고
세상은 과부가 되어 슬퍼 통곡할 것이고
당신의 형상은 남아 있지 않을 것이다
모든 비밀의 과부들은
아이들의 눈으로 남편의 모습을 간직한다
세상의 호사가들은, 자신의 지위만 바꿀 뿐
세상은 변화를 소비하며 즐기고 있다
아름다움의 낭비는 마지막으로
소용되지 않는 아름다움은 파멸로
타인의 사랑은 없을 것이다
부끄러움 때문에

10,

부끄럽게도, 당신의 사랑은 부인될 수 있다
당신 자신에게 미명의 순간에서
당연히, 많은 이들에게 사랑받을 수 있지만
그러나 아무도 사랑하지 않는 것은 가장 분명하다
당신이 살인적 증오에 빠질지라도
음모를 고수하지 않는 당신이 얻는 것은
아름다운 지붕을 찾아서
황폐함을 수리하는 것이 당신의 욕망일 것이다
오, 생각을 바꾸면 마음도 바뀔 수 있다
증오가 친절한 사랑보다 더 아름답게 자리할 수 있을까
존재로서 있다면, 그처럼 우아하고 새롭게
마력의 달콤함을 증명해 보라
다른 자아 안에서, 사랑을 위할수록
그것은 여전히 당신에게 남을 것이다

11.

쇠약해질수록 당신은 더 빨리 자라간다
당신이 출발했던 곳에서, 당신 속의 하나는
젊은 시절의 수여된 신선한 피와 함께
그로부터 당신을 부를 수 있을 것이다
여기에는 지혜와 아름다움이 살고 있다
어리석음과 늙음과 차가운 부패가 없이
모든 것이 그렇다면 시대를 멈추어야 할 것이다
육십 년으로 세상은 사라진다
자연을 예비하지 못한 이들은 내버려 두라
가혹하고, 특징 없고, 저속하고, 불모의 것들은 소멸된다
자연은 최상으로 기부한 이들에게, 더 많이 주었다
당신은 어떤 풍성한 선물을 소중히 여기는가
인장처럼 새기고, 당신에게 더 의미 있게
언제나 필요한 것을 불러들이듯이

12.

시간을 알려주는 시계 소리를 들으면
용감한 낮이 무서운 밤에 가라앉는 것을 본다
제비꽃의 전성기를 지나서
곱슬한 흑발머리는 모두 은빛 흰색으로 변해 있었다
더위를 피해 양 떼를 가려주었던
높은 나무들은 황량해지고
그리고 여름의 푸르름이 모두 다발로 묶이어
희고 까칠한 수염에서, 빛바랜 상여로 태어났다
그때 당신의 아름다움에 나는 고한다
당신도 시간의 낭비 속에 사라져야 한다고
달콤함과 미인은 스스로를 저버리고
타인들이 오가는 것보다 빨리 죽는다
시간의 낫으로 방어할 수 있는 것은 없다
시간이 당신을 데려가더라도

13,

오! 사랑아, 언제나 자신일 수 있기를
그러나 이제는 자신의 시간에서부터 멀리
다가오는 마지막을 준비해야 할 것이고
당신의 달콤한 면모를 타인에게 주더라도
또다시 당신이 죽은 후에도 자신이 될 수 있기를
당신의 화제, 달콤한 미모를 지킬 수 있게 한다면
누가 아름다운 집을 무너지게 내버려 둘 수 있겠는가
산업을 꿋꿋이 지키고
겨울날의 폭풍우를 견디고
영원히 차가운 죽음의 분노를 물리친다면
오, 호사가만이, 사랑하는 이여
당신은 그렇게 알 것이지만
아버지도 그렇게 말해 주기를

14,

나는 별에서 상념에 잠길 수 있지만
천문학의 이야기를 가져올 수 있다
그러나 길흉을 알 수 있거나
역병과 기근, 계절의 본질을 예상하지는 못한다
매 순간의 운을 짧게 말할 수 없고
각각 천둥과 비바람을 예측할 수도 없고
왕국의 흥망을 전할 수 있는 것도 아니다
하늘에서부터 때로 나는 예견한다
당신의 눈에서 지식을 끌어낼 수 있다고
늘 빛나는 별들에서 그런 예술을 읽는다
진실과 아름다움이 함께 번영하듯이
그러나 간직할 수 없는 것에서 변화가 있다면
혹은 당신에서 예감될 수 있다
그러한 비운의 나날을

15,

무릇 성장하는 것은 무엇이든
완전함을 유지하려 애쓰지만, 작은 순간에 불과하다
이 거대한 무대는 하나의 모든 원상일 뿐이므로
별들은 비밀의 영향력을 전해준다
인간의 삶은 식물의 성장과 같이
같은 하늘 아래에서도 환호하거나 저지되기도 한다
그들은 젊음의 혈기를 뽐내다가 상심하기도 하지만
기억을 지나 찬란했던 상태로 남아 있다
그때, 무상하게도 변화 속에
눈앞에서 가장 부유하게 젊음을 누리는 당신을 본다
사치하는 시간이 부패와 논쟁하는 곳
젊음의 낮을 음침한 밤으로 바꾸려는 시도
그리고 사랑을 위해 싸우는 사람들
사라짐의 시간 속에서
당신은 새롭게 접목될 것이다

16.

그러나 어째서 당신은 더 강한 수단으로
이 피의 폭군, 시간과 싸움을 벌이지 않는가
그리고 쇠퇴에 맞서 자신을 강화하지 않는가
내 무료한 리듬보다 더 신성한 방법으로
이제 당신은 행복의 절정에 서기를
그리고 아직 이르지 않은 많은 처녀 정원들은
고결한 소원으로 당신의 살아 있는 꽃들을 맺게 할 것이다
그것은 채색된 모조품보다 더 닮아 있다
그리고 삶의 기운을 새롭게 한다
시간의 펜으로 자신을 그릴 수 없다면
가치 있는 내면도 아름다운 외양도
타인에 눈에서 그려낼 수 없을 것이다
자신을 포기하기보다 가만히 지킬 수 있게
당신의 달콤한 재기를 즐기며 살기를

17.

언제쯤 누가 나의 시를 알아볼 수 있을까
그것이 가장 높은 사막들로 채워져 있고
아직 하늘만이 그것이 무덤이라는 것을 알지만
당신의 삶은 숨겨져 있고, 절반도 보여지지 않는다
내가 당신의 눈의 아름다움을 묘사하고
당신의 모든 우아함에 대해 쓰더라도
이 시대는 '시인이 거짓말을 하고 있다'고 할 것이다
'천상의 손길은 지상의 얼굴에 결코 닿지 않는다'
세월과 함께 누렇게 변해 버린 원고들과 같이
진실하지 못한 노인들은 경멸을 받는다
당신의 진정한 권리는 시인의 분노라고 할 것이다
옛 노래의 음보는 더 늘어지고
그러나 아이가 있다면, 그에게서
당신은 살 것이다, 내 시에서도

18,

그대를 여름날에 비할 수 있을까요
그대는 더 사랑스럽고 온화하다
거친 바람은 오월의 달콤한 꽃봉오리를 흔들고
우리에게 허락된 것은 짧은 것이다
하늘의 눈은 때로 뜨겁게 빛나고
황금빛 안색마저 희미해진다
지상의 모든 아름다움 언젠가 시들고
우연이나 자연의 섭리로 그 빛마저 퇴색되지만
그대의 영원한 여름은 사라지지 않고
그대가 지닌 아름다움은 소유될 테니
죽음의 낮도 그늘에서 방황하지 않을 것이다
그대가 꿈꾸는 영원한 시간에서
인간이 숨 쉬고, 바라볼 수 있는 한
온 생명으로 무성한 그대는!

19,

모든 것들을 삼키는 시간은
사자의 발톱을 무디게 하고
대지가 낳은 새끼들을 삼킨다
사나운 호랑이에서 날카로운 이빨은 뽑히고
불멸의 불사조의 피는 불타오른다
시간은 달아나면서 기쁘고 슬픈 계절을 만든다
발 빠른 시간은, 혁혁히 간다
넓은 세상에서 그녀의 모든 사라지는 달콤함에
그러나 가장 가혹한 범죄를 금한다
오, 내 사랑의 아름다운 이마를 조각하지 마오
고풍의 펜으로 선을 그리지 마오
당신의 행로에서라도, 무결한 그를 허락해 주기를
계승자들은 아름다움의 패턴을 이어가고
그러나 낡은 시간아, 더 최악이 되더라도
내 사랑은 시에서 영원히 푸를 것이다

20,

여자에게 보이는 고백의 얼굴
당신은 내 열정의 주인공이다
여자의 부드러운 마음은 알기 어렵고
늘 새로운 변화와 함께, 거짓된 여자의 유행도 그렇다
그의 눈보다 더 밝고, 아름다운 그것은
바라보는 대상을 빛나게 한다
모든 색을 지배하는 남자
남자의 눈과 여자의 영혼이 훔치는 것은 놀랍다
그리고 당신이 처음 창조한 여자는
그녀가 당신을 초래했을 때, 자연의 점으로 되기까지
당신 안의 그녀를 더함으로 패할 수 있다
목적이 없다 해도 아닐 수 있고
그러나 쾌락을 위해 그녀는 당신을 찔렀으니
당신은 그녀에게 사랑, 그것은 보물을 얻는다

21.

나의 시는 뮤즈의 시와 같지 않다
그의 시로부터 우아한 아름다움이 발소된다
그래서 하늘 자체를 장식으로 삼고
모든 아름다움은 다시 공연을 하면서
오만하게도, 세상을 견준다
태양과 달, 그리고 대지와 바다의 풍부한 보석과
사월의 첫 꽃들과 희박한 모든 것들을
하늘의 기운은 거대한 가장자리에 둘러 있다
오! 나는 사랑에 진실하므로, 진실되게 시를 쓴다
나를 믿으라, 내 사랑은 아름답기에
밝을 수는 없어도, 어떤 어머니의 자식처럼
하늘의 기운에 닿은 황금 양초들처럼
안녕의 소식과 같이 더 많이 말할 수 있게
갈피 없는 목적은 칭송되지 못할 것이다

22,

유리잔에 비친 모습은 나를 설득할 수 없다
젊음과 당신이 한 날에서 비롯되는 한
그러나 당신의 시간의 고랑에서
죽음 후에 나의 날들이 속죄될 것을 본다
당신을 아우르고 있는 모든 아름다움은
품격 있게, 내 마음의 의복이 될 것이다
내 안의 당신처럼, 당신 가슴에 살고 있는 것은
당신보다 내가 오래갈 수 있을까
오! 그러므로 사랑아, 잠자코 있으라
나 자신이 아닌, 당신의 뜻을 위해
당신이 무엇을 품었든지 나는 걸릴 것이다
아기가 아프지 않도록 살피는 손길처럼
내가 죽임을 당할 때, 당신 가슴에서 추측되지 않기를
다시는 돌려받을 수 없는 것을 당신은 주었다

23.

무대 위에서 어떤 아마추어 배우가
공포에 휩싸여 자신의 역을 놓쳤을 때
혹은 큰 분노에 휩싸인 사나운 힘에 의해
과대함에 놀라 마음이 약해지는 어떤 순간처럼
나는 당신의 지나친 신임이 두려워
완전한 사랑의 예식을 잊어 버렸다
사랑의 강성함은 과히 짐스러워
나의 사랑의 힘은 언젠가 부식될지 모른다
오! 나의 모습이 웅변이 되게 하라
나는 가슴으로 말하는 벙어리 예언자처럼
사랑을 갈구하고 보상을 갈구하는 자
실로 할 말보다 더 많이 표현했으니
조용한 사랑이 써 내려간 것을 읽어보라
눈으로 듣는 사랑은 세련된 재치가 있다

24,

내 눈은 화가, 당신의 아름다운 미모를
내 마음의 캔버스에 그리고
내 몸은 그림을 거는 틀
원근법은 화가의 최고의 기술이다
당신의 진정한 이미지를 찾으려면
화가의 기교를 통해서 보아야 한다
내 마음의 화실에 그림은 걸려 있고
당신의 눈은 나의 창문을 빛낸다
나와 당신은 차례대로
내 눈은 당신의 모습을, 그리고 당신의 눈은
내 가슴의 창이 되니, 그곳으로 태양도
엿보는 기쁨으로, 당신을 바라보는구나
그러나 민첩한 눈으로 따르려고 해도
보이는 것을 그릴 뿐, 마음은 알지 못한다

25,

별의 미관을 옹호하는 자들에게
명예와 자부심의 칭호를 갖게 하라
나는 그런 승리의 운을 타고나지 못했지만
내가 기념하는 것에서 예기치 않은 기쁨을 얻었다
왕후의 총신들이 그들의 공평한 잎새를 펼치고
그러나 태양의 눈을 쫓는 금잔화처럼
그들 자신 안에도 자부심은 묻혀 있다
찡그린 얼굴에도 그들의 영광은 사라질 수 있다
싸움으로 유명한 전사도
천 번의 승리 후에 한 번 좌절하게 된다면
명예의 이름에서 지워진다
노고로 얻게 된 나머지 공로도 잊혀질 것이다
그러나 행복한 나는, 사랑하고 사랑받을 수 있다
이별할 수 없고, 이별하게 될 수도 없는 곳에서

26,

나는 당신의 신하와도 같다
당신의 덕은 나의 헌신을 강하게 이끈다
편지를 당신에게 사절로 보내는 것은
헌신을 위함이지, 재치를 보여주는 것은 아니다
내 헌신은 지극하나, 재치가 부족한 나는
헐벗은 듯 할 말을 찾지 못하겠구나
그러나 나의 표현을, 당신의 영혼이 알고
당신의 상상으로 간직해 주기를
나의 움직임을 안내하는 별의 무엇이라도
아름다운 점으로 빛날 것이다
그리고 흔들리는 사랑에 옷을 입힌다
당신의 상냥함을 알 수 있다면
사랑한다고 말할 수 있을 것이다
당신이 증명하기까지는 보여주지 않겠지만

27.

지친 나는 서둘러 침대로 향한다
여행으로 지친 몸을 돌보는 시간이다
그러나 내 머릿속에는 또 다른 여행이 시작된다
육체의 활동이 끝나고 다시, 마음의 그침이 풀리듯이
그러면 나의 상념은 내가 머무는 곳에서 멀리
그대를 향한 열렬한 순례를 기도한다
처진 눈꺼풀을 활짝 뜨고
눈먼 자들의 어둠 속에서
내 영혼이 상상의 눈으로 바라볼 때
잠시라도, 그대의 그림자를 볼 수 있다
지독한 밤에 걸려 있는 보석처럼
밤을 아름답게 만드는 그대의 얼굴은, 그리운
오! 낮에는 내 몸이, 밤에는 내 마음이
그대와 나를 위해, 조용한 때를 찾을 수 없다

28,

어떻게 행복한 순간에 빠질 수 있을까
안식의 혜택이 주어지지 않는데도
낮의 억압은 밤에도 풀어지지 않고
낮은 밤에게, 밤은 낮에게 억압을 한다
낮과 밤은 서로를 지배를 하지만
한 번씩 나를 괴롭힌다
낮은 수고로, 밤은 한탄으로
아무리 노력해도, 여전히 당신은 멀리 있음은
나는 낮에 말한다, 밝은 당신은 낮을 기쁘게 하고
구름이 하늘을 가릴 때 빛낸다고
그리고 밤에 말하기를, 거무스름한 표정의 밤을 달래고
별들이 빛나지 않을 때, 당신은 밤을 빛낸다고
그러나 낮은 나의 슬픔을 늘리고
밤은 나의 비애를 늘린다

29.

운명과, 사람들의 눈에서 벗어난 나는
홀로 버림받은 처지를 슬퍼한다
부질없는 외침으로 귀먹은 하늘을 괴롭히고
자신을 돌아보면서 운명을 저주한다
그러나 나에게 희망이 더 풍성해질 수 있을까
그를 닮게 되고, 친구들과 함께할 수 있을까
그의 재주와 역량을 볼 수 있기를 바란다
만족하게 되지 못할지라도
이러한 생각들로 스스로 달래보지만
문득, 당신을 생각하면
새벽녘에 날아오르는 종달새처럼
음침한 대지로부터 하늘 문에서 찬가를 부른다
당신의 달콤한 사랑은 부요함을 기억하므로
나는 내 운명을 무엇과도 바꾸지 않을 것이다

30,

그러나 달콤하고 고요한 생각의 법정에
나는 지나간 것들을 소환한다
갈구했던 것을 찾지 못해 한숨 짓고
시간을 허비한 지난 슬픔을 새삼 한탄한다
죽음의 끝없는 밤에 소중한 친구들은 숨어 있고
메말랐던 눈을 눈물로 적시며
오래 전의 애절한 사랑을 다시 슬퍼하고
사라진 많은 상실을 탄식한다
그러면 나는 잊혀지는 비통함에 슬퍼할 수 있을까
슬픔은 슬픔에 무겁게 말한다
전에 없이 아련한 슬픈 이야기를
그러나 해우를 고대하듯이
친구여, 당신을 생각하면 나는
잃어버린 것들을 회복하고 슬픔을 끝낸다

31.

당신의 모든 심장은 소중하다
죽어 버린 줄 알았던 감정들이 고이 있으니
당신의 사랑을 지배하고, 모든 사랑스러움이 깃들어 있다
죽음에 묻혀 있는 모든 친구들과 함께
숭고한 사랑은 얼마나 많이
신성함을 추종하는 눈물을 훔쳐갔던가
죽은 자의 관심으로 고해하지만
그러나 당신의 숨겨진 것들은 사라져 버린다
당신의 가리워진 사랑이 사는 무덤에서
거기에는 지난 사랑의 승리가 잠자고 있다
당신에게 나의 온전함이 전해지고
많은 것들이 당신의 권리가 된다
내가 사랑했던 이미지를 당신 안에서 본다
당신이 나의 모든 것을 가져갔듯이

32,

야만의 죽음이 나를 먼지로 덮은 날
당신이 나의 만족했던 날로 살아남을 수 있다면
아마도 행운으로 다시 돌아오지 않을까
당신의 죽은 연인의 시들은
당신과 호시절을 비교한다면
그것은 모든 문인보다 능할 것이며
운율이 아닌, 나의 사랑을 향해 남겨질 것이다
더 행복한 사람들의 절정을 뛰어넘을 수 있다
오, 이 사랑스런 생각만이 나를 보증해 준다
'내 친구 뮤즈는 시대와 함께 자라고
그의 사랑보다 소중한 탄생을 불러들인다
더 나은 대열에 행진할 수 있다면
죽은 후에라도 시인들은 기억될 것이고
시에서 개성을, 그의 사랑을 읽을 수 있을 것이다'

33,

나는 보았다, 찬란한 아침의 해가
제왕의 눈으로 산봉우리를 탐식하고
금빛 얼굴로 푸른 초원에 입을 맞추고
창백한 시내를 천국의 연금술로 물들이는 것을
어느덧, 천상의 얼굴은 낮은 곳에서
덧없는 구름 속을 지나가고
쓸쓸한 세상에서 감추어지듯이
치욕으로 몰래 서쪽 하늘로 떨어진다
나의 태양도 어느 이른 아침
승리의 화려함으로 이마를 비추었다
아아, 그러나 아주 잠시만 나의 것이었으니
고고한 구름은 그를 가려 버렸구나
그러나 나의 사랑은 조금도 식지 않았다
태양이 흐려지면, 사람들의 세상도 변한다

34,

어째서 그러한 아름다운 날을 약속했나요
외투도 없이 길을 떠나게 하고
낮은 구름을 따라가는 길에서
검은 연기 속에 당신의 찬란함을 가리는가요
구름 속에서 당신의 휴식은 있지 않을 것이고
폭우 속에서 빗발은 그치지 않을 것이다
위로의 샘은 침묵하지 않을 수 없다
상처는 치유받을 수 있어도, 오욕은 치유되지 못한다
당신의 수치심은 나의 근심을 덜어주지 못하고
후회하더라도 내게는 상실감이 남을 것이다
위반자의 슬픔은 적게 위안이 될 뿐이고
혹여라도 그렇다면
그의 눈물은 속죄될 수 있지 않을까

35,

당신은 그러한 것들에 괴로워하지 마세요
장미에도 가시가, 은빛 샘에도 진흙은 있다
해와 달은 구름과 일식으로 때로 가리워진다
그리고 가장 달콤한 꽃봉오리에도 수심은 있다
모든 사람이 잘못을 저지르는 법
그러나 비교할수록 당신의 불법은 정당화된다
실수는 무마되지만, 오히려 나는 타락하고
당신을 변호하는 죄가 크구나
당신의 관능적 과오에도, 세상은 돌아가고
변호자가 되기를 바라는 나는
자신을 향한 탄원을 시작한다
마음속에서는 사랑과 미움이 투쟁을 벌이지만
공범이 될 수밖에 없다
나를 훔쳐 간 달콤한 도둑에게는

36,

우리 둘은 하나임을 고한다
우리의 사랑이 나뉘어질 수 없음은 당연하나
지난 치욕들은 나에게만 남기고
당신에게는 어떤 시련도 없을 것이다
오로지 무구한 존중이 있을 것이고
짓궂은 이별을 맞이하게 될지라도
사랑의 유일한 효과는 바뀌지 않고
그러나 사랑의 환희의 시간은 멈춰 있을 것이다
나는 언젠가 당신을 볼 수 없을지 모른다
나의 통곡할 죄책감이 당신에게 수치심이 되지 않기를
친절한 수사로, 명예를 높이지 않기를
당신의 이름이 그러한 영예를 주지 않는 한
그러나 아니, 그런 이유에서 당신을 사랑한다
당신이 전하는 세계에서도

37.

나이 든 아버지가 성장한 아들을 보고
젊은이의 혈기를 기뻐하는 것과 같이
운명의 저주로 해를 입은 나는
당신의 가치와 진실에서 위로를 받는다
미모 또는 혈통, 재산과 재기이거나
어떤 것이든, 전부가 되어도
당신의 품위로 인정될 수만 있다면
내 사랑은 그 풍성한 줄기에 접목될 것이다
그러면 불구가 아니며, 가난하지도, 멸시받지도 않을 것이다
혹은 상상은 실제가 되어
나는 당신의 부요함 속에서 흡족하며
당신 영광의 일부로 살아갈 수 있을 것이다
내가 당신에게 소원하는 최고의 것
소망은 나를 몇 배로 행복하게 한다

38,

나의 뮤즈는 어떻게 탄생할까요
그대가 존재하는 동안, 나의 시는 쏟아진다
그대의 달콤한 말과 논쟁은, 이상에 뛰어나다
세속적인 글들이 다시 쓰여질 만큼
오! 나는 시상을 소유하고, 그대에게 헌사한다
깊이 음미할 것은 그대에 대한 것으로부터
깨닫지 못할 자가 어디 있겠는가
그대는 발상에 빛을 주고
열 번째 뮤즈로, 열 배나 더 가치 있다
운율이 불러일으키는 전의 뮤즈보다도
그대에서 기원하는 나는
오래전의 날보다 더 오래가는 시를 쓴다
나의 뮤즈가 호기심의 날들을 흩날리는 것을
볼 수 있다면, 가볍게 노래를 하고

39,

오, 어떻게 당신의 품격을 노래할 수 있을까
당신은 내 좋은 부분의 최고와 같다
나의 찬사는 어떻게 그려질 수 있을까
당신을 위한 것은 나의 전부일 수 있어도
그러함에도, 어느 날 헤어짐은 찾아오고
사랑은 단 하나의 이름을 잃는다
서로에게서 떠나가기에, 갈 수도 없을 만큼
당신의 부재는, 한때의 고통을 증명해 준다
그러나 쓰라린 여지가 달콤한 시간을 내준다면
아니, 사랑의 상념으로 보낼 수 있다면
그렇게도 시간과 상념은 달래줍니다
떠나간 당신을 잊을 수 있는 동안
자신을 만들어내는 법을 배우세요

40,

사랑하는 자여, 내 모든 사랑을 가져갔구나
당신이 이전보다 더 가진 것이 있을까
당신이 아는 것은 참된 사랑이라 할 수 없다
이전에도, 내 모든 것은 당신이었기에
내 사랑, 당신이 나의 사랑을 받아들인다면
이용해도 된다고 차마 말할 수는 없지만
당신이 달콤하게 유혹한다면
또는 당신의 거부를 고의적으로 맛볼 수 있다면
나를 앗아간 것을 용서할 수도 있을 것이다
나의 가난함마저 훔쳐 갔어도
그러나 사랑은 안다, 미움이 주는 상처보다
사랑의 이름으로 주는 상처가 더 큰 것임을
욕망 가운데도 우아한 당신, 모든 것이 좋고
죽게 되더라도, 적이 되고 싶지는 않아요

41.

오히려 당신은 나에게서 멀어져 있다
자유를 탐하는 작은 실수들에도
당신의 아름다움과 청춘은 비할 데 없구나
당신에게는 어디서나 유혹이 따르고
당신의 달콤함은 언제나 승리를 주고
아름다움은 모든 것에 기승한다
여자가 다가올 때
누가 저버릴 수 있을 것인가
지금과 같이, 당신이 내 자리에 있을 수 있을까
당신의 아름다움과 어긋난 청춘을 힐난한다
그들은 폭도처럼 시절을 이끌고
두 가지 사실을 말할 수밖에
노래하는 내 모습은, 그녀에게로
거짓된 그녀의 아름다움은, 나에게도

42,

나 그녀를 몹시 사랑했다고 사랑한다고
그러나 그녀에 대한 당신의 마음 때문이 아니라
그녀가 당신을 바라보는 것
그것이 큰 슬픔이 되었다
더 가까이, 사랑의 상실은 나를 아프게 한다
사랑의 위반자들을 용서할 수 있을까
당신의 사랑과, 나의 사랑을 그녀는 알기에
서슴치 않고 나를 남용한다
그녀를 인정하는 것은 피할 수 없는 것
친구를 잃는다면, 사랑은 얻을 것이고
그녀를 잃는다면, 내 친구는 잃을 것이다
그들은 서로를 위했고, 나는 둘을 잃어버릴 밖에
두 사람은 나를 위해서 짐을 진다
그러나 기쁜 것은, 언제나 함께 친구와 있다는 것
달콤한 상상처럼! 그녀는 사랑할 수 있으리라

43.

온종일 별수 없는 것들을 지나치던 나는
당신을 향한 순간에 가장 잘 볼 수 있다
잠이 들면, 꿈에서라도 찾을 수 있을까
밤의 어둠 속에서도 당신은 밝게 빛난다
그림자조차 빛을 내고
그림자는 어떻게 행복한 형태를 그릴 수 있을까
맑은 날에는, 당신은 한층 더 선명한 빛으로
맹목적인 눈에는 그늘조차 얼마나 빛나는지!
나는 말하길, '축복의 내 눈은 어떻게 생길까'
생생한 날에, 당신을 바라봄으로써
숨죽인 밤에도, 당신의 아름다운 모습은
깊은 잠 속에서 새록새록 떠오른다
낮은 밤이다, 당신을 보기 전까지는
밤은 낮이다, 꿈이 당신을 보여줄 수 있다면

44,

내 육중한 육체가 상념과 같다면
상처 난 먼 거리도 내 길을 막지 못할 것이고
공간을 넘어 당신에게 이를 수 있을 것이다
머나먼 끝에서 당신이 머무는 곳까지
내 발이 서 있는 곳이
당신으로부터 없는 가장 먼 땅이더라도
생각은 순식간에 바다와 육지를 뛰어넘을 수 있을 테니
당신이 있는 곳을 생각하기만 하면
그러나 아, 생각은 오히려 나를 죽인다
당신은 갈 곳 없이, 수만 거리를 놓을 수 없기에
그러나 대지와 물로 이루어진 지상에서
슬픈, 시간의 틈으로 갈 수 있으니
느린 물질로는 아무것도 할 수 없다
슬픔의 표지인 눈물만이

45,

두 가지 요소, 가벼운 바람과 정화의 불은
내가 어디를 가든 당신과 함께 있다
나의 생각과, 나의 욕망이라 할 수 있으니
그럴듯한 순간에 그것들은, 빠르게 잠식한다
치닫는 바람과 불이 떠나
마음의 대사가 되어 당신에게로 가는 동안
그러나 네 요소로 이루어진 나의 생명은
우울함에 지쳐 죽음처럼 가라앉는다
당신에게서 돌아온 사자에 의해
내 모습이 회복될 수 있을 때까지
당신이 전하는 말을 듣고
기뻐하지만, 그도 잠시
나는 다시 슬픔에 잠긴다

46,

나의 눈과 마음은 싸움을 한다
당신의 모습을 차지하는 것을 두고
눈은 마음이 당신의 빛난 모습을 보는 것을
마음은 눈이 그러한 권리를 누리는 것을
거부하면서, 마음은 주장한다
'수정 같은 눈으로 볼 수 없는 작은 것'이라고
그러나 눈은 부인하여 말한다
'당신의 수려한 모습은 오직 눈 안에 있다'고
이러한 주장을 가리도록 선택된 증인은
모두 마음에 깃들어 있는 여러 생각들이다
그들의 판결은, 맑은 눈이 절반이고
나머지는 순수한 마음의 차지라고 한다
그래서 당신의 겉모습은 나의 눈의 것이고
당신 내면의 사랑은 내 마음의 차지라고

47.

나의 눈과 마음이 하나로 가까워져
그대에게 호의를 베풀 수 있다면
보고 싶은 마음에 죽을 뻔하거나
한숨 짓는 사랑에 마음이 질식할 지경이면
내 눈은 사랑의 그림으로 향연을 하고
거기에 내 마음을 초대한다
그리고 연모하는 마음을 쫓아
나의 가슴이 품은 생각들을 이야기한다
길을 정한 새처럼
그대가 멀리 있다 해도, 내 생각이 그대에게 가닿아
항상 그대에게서, 언제나 함께한다
잠들어도, 눈에 선할 뿐이지만
가슴은 깨어나, 가만히 있고

48,

길을 떠나기 전, 나는 얼마나 조심하는지
아무리 사소한 것도 모두 넣어 빗장으로 걸어 둔다
내가 찾을 때를 빼고는 알 수 없게
모르는 이가 쓰지 못하도록
당신은 보석보다 빛나
나의 최상의 위안이면서, 아련한 슬픔과 같다
아직 소중한, 유일한 관심사지만
그러나 저속한 도둑들이 훔칠 수 있겠구나
나는 사랑의 울타리를 제외하고는
어떤 곳에도 당신을 가둬 두지 않았다
당신은 그곳에 있고
아니더라도 나는 당신을 느낄 수 있다
도둑맞을까, 염려했으나
갑자기, 없어질 수도

49,

언젠가 찾아올 그때를 대비한다
당신이 결점을 보고 인상을 찌푸린다면
사랑이 더 이상 말하지 않고
결산을 하려는 날에는
혹은 당신이 내 곁을 어색하게 지나치거나
빛나는 인사가 사라지고
사랑이 변질되어 차가운 구실만 남았을 때에는
나는 내 마음의 사막에
무심히 나를 감출 것이다
그러나 다시, 나는 손을 들어 말한다
당신 편의 타당한 자유를 지지하며
그것은 그럴 법하게 되었을 것이라고
나를 사랑했노라 이유를 찾을 수 없다

50,

나는 우울한 여행을 한다
내 피곤한 여행의 끝에서, 목적지는
안락과 휴식이 전하는 말을 가르쳐 준다
'당신의 친구로부터 수만 거리 멀리 있다!'고
나를 지탱하는 짐승은 슬픔에 지친
내 안의 무게를 견디며 힘들게 걷는다
본능적으로 그는 알았다는 것처럼
나는 당신에게서 멀어지는 것이 싫구나
박차를 가해도 그는 빠르지 않고
때로 나의 분노가 그의 몸에 미치면
괴로운 신음으로 답을 한다
내가 속도를 높일 때는 더 날카롭게 울린다
울음소리는 내 마음을 일깨운다
슬픔 뒤에 나의 기쁨이 올까

51.

그러므로 당신을 향한 내 사랑의 이름은
나의 둔한 짐승의 느린 걸음을 변명한다
당신에게로 내가 빨리 갈 수 있을까
돌이킬 수 없다면, 서두를 필요가 없다
그러면 이 불쌍한 짐승은 무슨 말을 할 수 있을까
오, 민첩할지라도 느리게 보일 수 있지만
바람을 타고, 나는 박차를 가하여
날개 달린 속도로 간다면, 멈출 수 있을까
나의 말은 속도를 유지할 수 없다
그래서 완전한 사랑을 만드는 욕망은
불같이 몸을 달리며 소리친다
그러나 사랑은, 사랑을 위해 나를 되찾는다
내가 가는 길은 일부러 느리고
당신에게 아득히 떠날 수 있기를

52,

나는 부자처럼, 행운의 열쇠를 이용하여
숨겨진 달콤한 보물을 어느 때나 볼 수 있다
그것을 매시간 찾지는 않는다
드물게 맛보는 즐거움의 순간이 부서지지 않기 위해
그러니까 향연은 엄연하고 희귀하게
기나긴 해에 열리기에
희소하게 박혀 있는 보석처럼, 또는
목걸이 가운데 빛나는 보석처럼
당신을 내 가슴으로 간직하는 시간도 그렇다
특별한 기쁨을 위해서
의상을 두는 것같이
당신을 향한 자부심을 새롭게 펼치고
오, 축복의 당신은 세상의 가치를 높인다
함께하면 승리를, 없으면 희망을

53,

당신은 대체 어떤 존재로 서 있기에
수백만의 낯선 그림자들이 따르는가
사람들은 저마다 하나씩 기억하여도
오직 당신의 뛰어난 모습에 비할 수 없구나
아도니스를 그려보라, 그것은 당신을
어설프게 흉내 낸 모조품일 뿐이고
헬렌의 뺨에 모든 아름다움의 기교가 있어도
그리스풍 옷을 입혀 새로 그린 것에 불과할 것이다
봄을 말하라, 올해의 풍년을 전한다면
그것은 봄의 아름다운 그림자를 보여주고
가을의 풍성한 영화를 보여준다
나는 축복의 모습 속에서 당신을 인식할 것이다
그러나 모든 우아함이 깃들어 있더라도
당신의 한결같은 마음만 같지 않다

54.

오! 진실이 풍기는 화려한 장식은
아름다움을 얼마나 더 아름답게 하는가
장미는 아름답지만, 아름다움은 더욱 짙다
싱그러운 향이 그 안에 살아 있기에
들장미는 진한 염료로 꽃을 피운다
향미로운 장미 못지않게
여름의 숨결이 꽃봉오리를 벗기면
가시 달린 가지에서 분망하게 놀고 있다
그러나 들장미의 미덕은 겉모습일 뿐
구애도 존경도 받지 못하고 시들어
죽음을 맞지만, 향미로운 장미는 그렇지 않다
달콤한 죽음에서 잊지 못할 향이 만들어진다
아름답고 사랑스러운 그대
그대가 시들면, 나의 시는 진실을 증류할 것이다

55,

왕후를 기리는 대리석, 금빛 기념비도
이 강렬한 시보다 오래 남지 못할 것이다
긴 세월에 더럽혀지고 방치된 석상보다
당신은 이 시의 글 속에서 더 빛날 것이다
모든 것을 파괴하는 전쟁이 동상을 무너뜨리고
초석을 허물어 버린다고 해도
마르스의 칼도, 전쟁의 타오르는 불길도
당신을 기억하는 살아 있는 기록을 태우지 못한다
죽음과 모두의 적인 망각에 맞서
당신은 나아갈 것이고, 당신에 대한 예찬은
끝날까지 여전하여
모든 후손의 눈에도 살아남을 것이다
그리하여 당신이 살아날 최후에도
이 시와, 연인의 눈에서 살아 있을 것이다

56,

달콤한 사랑, 당신의 힘을 새롭게 일으키라
당신의 칼날이 식욕보다 더 무디지 않도록
욕망은 채워주면 진정될 수 있고
다음 날이 되면 전의 힘으로 새롭게 되지만
내 사랑아, 찰나의 기쁨으로
당신의 주린 눈을 채울 수 있으나
내일 또다시 보고 죽지 않기를
사랑은 기다림의 정신과 같다
언젠가, 새로 기약하는 헤어짐의 시간 속에서
슬픈 시간은 두 해안으로 나뉘어진 대양으로 빛났다
그러나 후에, 한사코 그들은 되찾았고
사랑은 귀환으로 운을 얻었다
지난 시간들을 겨울이라 부르자, 다시
여름을 환영한다, 몇 배나 반갑고 귀한 것을

57.

나는 당신의 하인과 같이 되어
당신이 원하는 때와 시간을 기다릴 수 있다
내가 바쳐야 할 소중한 시간과
노력은 없다, 당신이 요구하기 전까지는
나는 세상을 비난할 수도 없다
나의 왕이여, 당신을 기다리며 시계를 보는 동안
부재의 시린 쓰라림은 생각지 않을 것이다
당신이 나에게 한 번 이별을 고한다면
나는 감히 질투는 생각지 못하고
당신이 어디에 있을지, 상황을 생각해 보지만
슬픈 노래인 것처럼 무심히 앉아서
당신이 있을 곳을 바라며, 얼마나 행복을 만드는지 상상한다
바보 같은 사랑은 못내 충성하는 것이다
당신이 어떻게 대하더라도 아프지는 않다

58,

나를 처음 노예로 만들었던 신은 금지했다
당신의 즐거움의 시절을 요구하는 것과
갈망하는 시간의 말들을 아는 것을
나는 하인이 되어, 당신의 시간을 기다려야 한다
오, 당신의 손짓만으로 나는 상심하고
자유 시간 동안, 당신 없는 감옥은 견딜 수 없어
고통 속에도 인내할 수 있게, 나는 기다린다
상처가 되어도 비난하지 않도록
어디에 있더라도 당신의 특별함은 강렬하고
당신에게는 무엇을 원하든
시간에 대한 완전한 권리와
무슨 잘못을 하든 스스로 사면할 권한이 있다
나는 기다릴 뿐이다, 설령 지옥 같다 해도
당신의 즐거움을 비난하지 마오

59,

그러나 태양 아래로 새로운 것은 없으니
이루 말할 수 없이, 그렇게 다시 알 수도 없이
당신은 얼마나 기만당하고 있는 것인가
창작하면서 노역을 겪는 것은, 전의 아이를
두 번 다시 낳는 것처럼 헛된 일일 것이다
아니, 기록은 태양의 오백 주기까지도
거슬러 올라갈 수 있으나
골동 책에서 당신의 이미지를 볼 수 있다면
마음이 처음으로 완성된 이후로
나는 옛 세상이 뭐라고 말하는지 알 수 있다
당신의 프레임으로 볼 수 있을까
우리가 고칠 수 있을까, 아니면 그들이 더 나을까
세상이 변해도 여전할 수 있을까
아, 나는 옛날의 재인들과 같다
나쁜 것에도 찬사를 보낼 수 있으니

60,

자갈이 깔린 해안으로 파도가 밀려오듯이
우리의 각고의 시간도 끝을 향해 달려간다
파도는 앞서거니 뒤서거니
모든 앞선 것들을 향해 다투고 있다
시간은 빛의 손길로 바다에서 탄생하여
점점 성숙하여 왕관을 쓰고
기울어진 일식은 그의 영광을 잠식한다
그리고 시간은 자신이 주었던 선물을 파괴한다
시간은 젊음에 깃든 번영을 바꾸고
아름다움의 이마에 주름을 그으며
자연이 낳은 희귀한 진실을 먹어 치우니
시간의 낫 외에는 아무것도 설 수 없구나
그러나 희망의 시간에 나의 시는 맞설 것이다
당신을 찬미하며, 그의 잔인함에도 불구하고

61.

피곤에 지친 밤, 당신의 모습으로
눈을 뜨게 하는 것은 당신의 뜻인가요
당신을 닮은 그림자조차 어른거리는데
내가 꿈에서 깨어나기를 원하는 것인가요
치욕과 여유의 시간 속에서도
내가 어딘가 떠나 있을 때, 나를 보려는 것은
당신이 보낸 영혼의 소행인 것일까
질투하는 당신은 어디까지 가려는가
오, 당신의 사랑은 클 리가 없다
뜬 눈으로 밤을 지새는 것은 내 사랑일 것이다
사랑은 안식을 넘어 쉼이 없이
당신을 향한 파수꾼으로 자라는 것이다
당신이 어디선가 깨어 있다면, 나 지키고
내게서 멀리 떨어져 있어도

62,

나의 눈은 자아도취의 죄에 빠져
내 영혼과 모든 부분들은 부식되었다
마음 속 깊은 곳에서 그렇다면
아마도 치료는 없겠지만
나처럼 우아한 얼굴은 없다고 본다
그렇게 진실된 모습도 없고, 비밀의 진실도 없다
스스로 내 자신의 가치를 생각한다
다른 모든 가치를 뛰어넘을 수 있다고
그러나 유리잔에 비친 내 모습은
그처럼 시절의 쇠잔함으로 사라져
자기 사랑은 내가 읽었던 것과는 다르다
그러한 자기 사랑은 부정될 것이다
내가 찬사하는 것은 나 같은 당신뿐이라고
당신의 아름다운 날들을 빌어 나의 시대를 채운다

63.

그의 모습이 지금과 같다고 해도, 그러나
시간의 난폭한 손에 부서져 사라지고
세월이 젊은 피를 마시고, 그의 이마를
선과 주름으로 채울 때
청춘은 노년의 가파른 밤으로 여행을 한다
그가 왕으로 누렸던 모든 아름다움은
청춘의 봄을 훔쳐, 사라지고
시야에서 사라져 버릴 것이다
그럴 때에, 나는 스스로 강조한다
혼란스러운 때의 잔인한 칼에 맞서
그러나 세월이 그의 삶을 앗아갈지라도
결코 기억은 끊어지지 않을 것이다
그의 아름다움은 이상에서 볼 수 있다
시는 살아남아 여전히 빛낼 것이다

64,

시간의 스러짐 속에서, 어떤 진부한 세월이
고고한 사치의 치세로 사라져 가고
언젠가 높은 탑이 무너지고
영원한 동상이 미소 지을 수 없게 되더라도
그러면 나는 성난 파도가 해안에서 시간을 이기며
치열하게 싸우는 것을 보았다
견고한 땅을 이어서 바다는
파도를 치면서 세차게 밀려 들어온다
호화 자체가 쇠퇴로 사라지는
무상함에서, 이런 생각이 들려 왔다
시간은 내 사랑을 앗아가 버린 것이라고
이것은 죽음과도 같은 흔적일 것이다
잃는 것은 슬플 수밖에

65,

청동도, 바위도, 당신의 대지나 끝없는 바다도
그러나 슬픈 죽음은 그들의 힘을 압도하는구나
차가운 분노에서, 어떻게 아름다움을 간청할 수 있을까
어떤 꽃인들 강하지 않을 수 있을까
오! 여름날 달콤한 숨결을 견딜 수 있다면
부딪쳐 오는 세월의 파괴적 포위에 대하여
부동의 바위는 그러나 견고하지 않고
시간에 녹슬지 않는 강철 문도 있을 수 없으니
그러한 그리움은 남아
시간의 심장에 나의 보석을 숨길 수 있을까
어떤 강한 손이 시간의 빠른 발을 붙들 수 있을까
아름다움이 사라지는 것을 막을 수 있다면
오, 아무것도 없다, 그러나 기적은 남아서
검은 펜으로 사랑의 힘을 빛낼 수밖에

66,

모든 것이 역겨워, 죽음의 안식을 원한다
재덕 있는 자가 걸인으로 태어나고
무능한 이가 화려하게 변신하는 것을 보거나
가장 순수한 믿음이 불행하게 버려지고
빛나는 명예가 수치스럽게 전해지고
처녀의 미덕이 무례하게 오해를 받고
무결한 것이 부당하게 더럽혀지는 것을 볼 때
강성함이 방해를 받아 불구가 되고
예술이 권력에 의해 할 말이 묶이고
바보 같은 이가 능숙한 기술을 통제할 때
진실이 단순하게 잘못 호도되고
선량한 자가 악한에게 승복할 때에는
이 모든 것이 지겨워, 나는 죽기를 바란다
죽는 것으로, 사랑을 남기고 가는 것이 아니라면

67,

아, 전염된 것처럼 살아야 하는가
그의 우아하고 오만한 존재감을 못 이겨
그러한 죄에도 그는 이익을 얻는다
그도 그렇겠지만
어째서 거짓된 그림은 그의 모습을 흉내 내는가
살아 있는 낯을 죽여 훔칠 수 있는가
어찌 허상의 아름다움을 은연중에 찾는가
그림자의 장미처럼, 그러나 그의 장미는 진실하다
그는 어떻게 살아 있을까, 자연은 파산하고
혈관 속에 비친 거지의 피조차 사라지는 것을
그러나 그녀에게는 그만이
그의 많은 것에 자부하고, 이익을 누린다
그녀에게 보이는 것은 부요함으로 인해
오래 전 나빠지기 전부터

68,

그의 얼굴은 지난 날의 잔상을 보여준다
아름다움이 지금처럼 꽃으로 살다가 죽던 시절
이런 불가피한 공평한 징후들이 태어나기 전
아니면 죽은 자의 금빛 머리칼 속
싱그러운 이마에 살고 있는 것처럼
죽음의 권리는 사라지고
두 번째 머리에서 두 번째의 삶을 산다
전의 아름다움은 숨은 양털처럼, 다른 즐거움으로
그는 신성한 옛 시간들을 보았다
어떤 장식 없이, 자체로 진실되게
타인의 푸른 여름을 알 수가 없이
그의 아름다움은 시절을 입지 않는다
그는 자연의 상을 기억할 수도
아름다움의 투영을 보는 것처럼

69.

사람들의 눈에 비치는 당신의 모습들
마음의 생각으로 바랄 수 없이 바뀌지지 않는다
모든 말과 목소리 당신에게 예정을 둔다
당신에 대한 찬사는 하얀 진실의 노래일 것이다
외적인 찬사는 당신에게 영예의 관을 주고
그러나 당신에게 보내지는 말들의 향연은
다른 어조에서 어쩌면 혼동될 수 있다
보여지는 것보다 그것은 더 멀리 갈 수 있기에
그들은 당신 마음의 아름다움을 들여다본다
그리고 당신의 행위를 추측할 수 있다
그들은 눈은 친절하지만, 그들의 생각은
당신의 아름다운 꽃과도 같이, 풀의 온갖 향을 더한다
그러나 당신의 향기는 노래처럼 날리고
땅에서 여상히 자라나는데

70,

그대가 비난받는 것은 결점이 되지 않는다
미모는 언제나 비방의 표적이 되어 왔기에
아름다움의 혐의는 자랑과 같다
하늘에는 상쾌한 바람결에 까마귀가 날고
그래도 그대가 선하다면, 시대의 인기를 얻어
비방은 그대의 가치가 위대함을 증명해 줄 것이다
독한 벌레는 가장 달콤한 꽃봉오리를 사랑하고
그대는 순수하고 무결한 한창 때를 보인다
젊은 날의 복병은 이미 지나
공격도 받을 일 없이, 승리자가 되어 있기도
그러나 찬사는 그대에게 영예가 되며
언젠가 질투심은 알 수 없이 커질 수 있다
악한 의혹이 그대의 외모를 가리지 않는다면
그대의 마음 한 곳은 소유될 수 있지 않을까

71.

내 죽음을 더 이상 슬퍼하지 마오
사악한 벌레가 사는 이 악한 세계로부터
내가 도망치는 것을 알리는 경고와 같이
음산한 종소리가 울리거든
아니, 이 시구를 읽더라도 그것을 쓰는 손을
기억하지 마오, 사랑했으므로
당신이 내 생각으로 비탄해지는 것보다
차라리 고운 생각 속에서 잊혀지길 바란다
아마 내가 흙으로 돌아갔을 때
시를 읽는다면, 내 슬픈 이름을 부르지 않기를
그리고 당신의 사랑과 나의 것은 소멸하게 두길
나 죽은 후에 당신이 탄식하는 것을 보고
영리한 세상이 조롱하지 않도록

72.

내게 어떤 매력이 있을지라도
세상의 당신에서 말해지지 않기를 바란다
나의 죽음 후에도 당신이 사랑한다면
그러나 사랑은 잊어주기를
내게서 당신이 어떤 무엇일 수 있을까
당신이 미덕의 거짓말을 도의적으로 하더라도
진가 이상으로 나는 노래할 수 있을 것이다
죽은 나에게 더 많은 찬사를 붙여주세요
인색한 진실이 주려는 것이 아닌
오, 진실된 사랑이 거짓같이 보이지 않게
사랑을 위해 당신은 나를 향해 미화하지만
내 이름이 있는 곳에 나도 있다
내게도 당신에게도 수치는 없을 것이다
그렇게 될 수 있어도
당신은 가치 없는 것들을 사랑하고

73.

어느 해 무렵, 당신은 내 안에서 본다
추위에 흔들리는 나뭇가지에
노란 잎들이 하나둘 아무것도 없을 때
달콤한 새들이 지저귀던 갈피 없는 합창을
그런 날 황혼 속에서 당신은 본다
석양은 서쪽으로 사라져
이내 검은 밤은 삼켜지고
죽음의 두 번째 자아는 모든 것을 안식으로 봉인한다
내 안에서 당신은 본다, 꺼져 가는 빛을
그것은 청춘의 재 위에 누워 있고
죽는 자리처럼, 거기서 만료되어야 한다
불붙는 것과 함께 쇠잔하면서
그러나 당신의 인식 속에서, 사랑은 더욱 강해진다
더 사랑할 수도, 오래 전 떠났던 것처럼

74.

그러나 안심하라, 체포를 당했을지라도
석방도 허락됨이 없이 나는 보내질 수 있지만
나는 생명과도 같은 시에 관심을 두고
그것은 여전히 기념을 위해 당신에게 남겨질 것이고
이 시를 다시 읽는다면, 중심이
당신에게 헌사되었음을 알 것이다
대지는 대지의 힘으로, 전부 그것의 몫이고
그처럼 내 영혼은 당신의 것, 나의 좋은 부분이다
내가 죽어 벌레의 제물이 될지라도
당신이 잃을 것은 단지 일부일 뿐
어느 철면피의 칼에 비겁한 승리가 이루어져도
기억하기에는 너무 하찮은 일일 것이다
그러나 가치뿐인 시처럼
여기에, 당신과 함께 남을 것이다

75.

나의 상념들은 삶의 양식처럼 당신과 함께
달콤한 시절의 소나기가 땅에서 일어나는 것처럼
평화를 위해 나는 그러한 투쟁을 한다
구두쇠가 재산을 찾듯이
소유자는 자부심에 부요하지만
부정의 시대에서 그의 보물을 훔쳐갈까 염려한다
당신과 함께 둘이 있는 것으로 열망을
당신을 볼수록 세상을 향한 기쁨은 커져 간다
때로는 당신의 모습으로 가득 차 겨웁더라도
한 번씩 깨끗하게 볼 수 있기를 갈망한다
당신이 준 것이나 당신에게서 얻은 것 외에는
어떤 기쁨도 추구하거나 갖지 않을 것이다
나는 나날이 굶주릴 수도 포식하기도 한다
모든 것을 탐식하거나 버리거나

76.

시에서 새로운 자부심을 찾을 수 없을까
그러나 그러한 변주나 발랄한 변화에서 멀고
다양한 작법과 신기한 복합물을 만들지라도
어째서 나는 또 눈길을 줄 수 없는가
전과 같이 하나로 써질 수 없는가
오, 무성하게 높아져, 시를 발명하면서
단어단어에 내 이름을 놓아주듯이
그러한 말의 탄생은, 어디로 나아가는가
달콤한 사랑, 나는 당신에게 시를 쓴다
모든 것은 나에게 시상이 되며
최상으로 전의 말들을 새롭게 아끼며
이미 쓰였던 것들도 다시 쓰게 한다
태양은 늘 새롭게, 오랜 것처럼
사랑은 늘 이야기한다

77.

당신의 유리잔에서 아름다운 모습은 비치고
시계는 귀중한 시간이 어디로 가는지 알려준다
나는 빈 종잇장에 당신의 흔적을 남긴다
간직한 책에서 당신은 볼 수 있다
진정으로 당신의 잔이 보여주는 세월의 주름과
열린 무덤은 당신에게 기억을 남기지만
시간의 그늘진 은신처에서
시간의 도둑이 영원을 달리는 것으로
기억이 전할 수 없는 것을 본다
이런 허비의 공백을 느낀다면, 찾을 수 있게
두뇌로부터 전해 오는 아이들의 상냥함은
당신의 마음에서 새로운 친교를 맺는다
활발함은 더 수월하게 유익을 주고
당신의 책을 채우고 있다

78,

나는 자주 당신을 떠올린다, 나의 뮤즈로
나의 시는 그렇게 아름다운 원조를 얻었다
낯선 모든 문인들이 나를 이용하여도
당신의 힘으로 시는 전파될 수 있다
당신의 눈은 벙어리에게 노래를 가르치고
심한 무지에서 벗어나게 해 준다
지식인에게 날개를 달아주고
우아하게 몇 배의 존엄함을 보여준다
그러나 나는 시를 짜는 것에서 가장 자부심을 갖는다
시의 영향력은 커지고, 당신으로부터 태어난다
다른 시작에서도, 당신은 시필을 고칠 수 있고
달콤하게 우아한 예술을 만든다
당신은 내 예술의 모든 것, 진화된다
무심한 무지에서 비유하면 높아져

79,

내가 당신에게 원조를 구했을 때에는
나의 시는 당신에게서 우미한 인상을 노래하고
그러나 나의 은혜로운 시간들은 부패해져 버려
나의 병든 뮤즈는 다른 자리에 있다
달콤한 사랑, 나는 당신의 사랑스런 토로를 인정한다
더 가치로운 문인들의 업적을 본받아
당신의 시인은 어떻게 발명할 수 있는가
그는 자신을 빼앗아 자신에게 지불한다
그는 자신의 미덕을 빌려주고, 상념의 말들을 훔쳐 간다
그의 예화적 행동에서 아름다움은 찾아온다
그의 뺨을 찾으면, 칭송할 수 있을 것이다
찬사가 없다면, 그에게 살아 있는 것은 무엇인가
말하지 못한 것에 대해서도, 그에게 감사하기도
그는 자신에게 빚진 것이 없을 것이다

80,

오! 당신의 시를 쏠 때 얼마나 아연해지는지
영리한 영혼을 알 수 있도록 당신의 이름을 쓴다
그의 모든 능력, 그것에 찬사를
당신의 명성에 대한 나의 말은 없어도
그러나 당신의 가치는 바다처럼 넓어서
자랑스러운 돛도 겸손한 돛도 포용하고
그의 배만 못하지만 나의 멋진 배는
당신의 넓은 세력에 유난히 나타난다
가장 작은 도움으로도 나는 떠날 수 있다
한량없이 깊은 당신의 위를 그가 지나갈 때
내가 보잘것없는 배처럼 파선을 당하더라도
그의 늠름한 키와 굳센 자부심으로
그가 번영하고 내가 버림을 받더라도
그러나 최악은 내 사랑이 나를 몰락시키는 것

81.

당신의 비문을 쓸 때까지 살 수 있을까
내가 썩어 갈 때에도 당신은 살아남을 것이다
그렇게 당신의 기억은 죽음도 앗아갈 수 없다
내 안의 갈등은 잊혀질지라도
당신의 이름은 그러나 지대한 생명을 얻을 것이다
내가 한 번 사라지면 온 세상은 죽어야 하지만
대지는 나에게 흔한 무덤을 내주고
그럴지라도 사람들의 눈에 있을 것이고
당신의 기념비는 나의 행복한 시가 될 것이다
그것은 아직 창조되지 않은 눈들이 읽으며
후세와 같이, 당신의 존재는 기념할 것이다
이 세상의 모든 숨 쉬는 것들 죽어 있을 때에도
당신은 여전히 살아, 문인에게 미덕을 주고
허덕일 수 없는 사람들의 말에서도
시는 그런 힘을 가졌으니

82,

나의 뮤즈와 결혼하지 않았음을 인정한다
그러므로 그렇게 넘겨질 수 없을지라도
작가들이 허용하는 헌신의 말들은
모든 축복의 책에서와 같이 아름다운 주제를 향한다
당신의 기색만큼이나 지식에서 공평할 수 있도록
내가 예찬할 수 있는 이상의 진가를 볼 수 있다
아주 능숙한 시대에서 시간의 신선한 도장을
여지없이 새롭게 볼 수 있을 것이다
오! 사랑을 그렇게, 도의적으로 나타낼 수 있다면
수사학이 빌려줄 수 있는 최대의 과장으로
미려한 당신을 오로지 노래할 수 있을 것이다
진실한 친구들에 의해 그러한 진실은 전해진다
그러나 그들의 총체적 그림은 더 낮게도
피를 부르는 뺨처럼 당신을 남용할 수 있지만

83,

당신에게 결코 그림이 필요했다고 볼 수 없다
그래서 당신의 미는 먼저 그려지지 않았다
나는 알았고, 안다고 생각했다
메마른 헌화와 같이, 당신은 시인의 몫을 능가했다고
그래서 나는 당신의 이유에 잠들었다
당신의 현존은 보여준다
현대의 필치로는 표현할 수 없는
당신에서 가치는 어떻게 자랄 수 있는가
나의 침묵을 죄의 것으로 돌릴지라도
차라리 벙어리가 되는 것이 빛나는 것을
나는 잠잠히 있는 미를 해하지 않고
사람들의 생명 속에서 고요한 무덤을 가져온다
시인들이 고안한 찬사보다도
당신의 아름다운 눈은 더 생생할 것이다

84,

칭찬의 말들, 누가 가장 잘할 수 있는가
풍부한 찬사는 당신, 오직 당신에게
나는 갇혀 있을 뿐, 아니 나는 그렇게
당신에게 자라는 예외의 곳일 것이다
문인들은 삶에서 가난함을 의지하고
그의 주체는 작은 영광도 빌려주지 않지만
그러나 그는 당신에 대해 시를 쓸 수 있다
당신이 누구인지 그가 알게 된다면
이야기는 우아하게 꽃필 수 있을 것이다
그가 당신에 대해 쓴 것을 필사해 보세요
자연이 만든 깨끗한 것들은 악화될 수 없어도
그러나 문인들은 그의 재치로 우화를 만든다
어디서나 그의 문학적 필체는 찬사를 받는다
저주 같은 당신의 풍성한 축복일지라도
어떻게라도, 나빠지는 찬사가 되어도

85.

나의 뮤즈는 말없이 가만히 그녀를 붙든다
그대를 예찬하는 말들이 화려하게 짜여지는 동안
금빛 필치로 그대의 특화는 예정되고
그리고 모든 뮤즈들은 소중하게 시구를 쌓아 간다
나는 좋은 생각을 쓰고, 다른 이들은 좋은 말들을 쓴다
글을 모르는 서기는 여전히 긍정을 외친다
세련된 필치로 빛나게
능숙한 영혼이 선사하는 모든 정화된 찬가를
그대가 예찬을 들을 때마다, 나는 사실일 거라고 말한다
최대의 찬가에 찬가를 더해준다
그러나 사랑 고백은 내 생각 속에 있지만
내 마음만은 앞서도, 형언할 수 없이 말은 뒤처져 있구나
다른 이들은 말의 은유를 찾아 온화하게 보여도
나의 바보 같은 생각은 진행인 것같이

86.

그는 위대한 시의 항해를 떠나고 있을까
소중한 당신을 향한 특급의 상 같은 것일까
내 머릿속에 무르익은 상념은 죽어 있고
무덤은 그것이 만든 미궁으로 자라간다
시 쓰기를 가르쳐 준 영혼은 당신일까
치명적 소리를 높여, 나를 채워 죽게 만든 것은
그도 아니고, 동료도 아니다, 밤이라도
그를 원조하면서, 나의 시는 놀랍게 다가와 보였다
상냥하고 익숙한 유령도 아니게
그는 밤마다 지적인 힘으로 속는다
내가 침묵의 승리자로 자랑할 수 없듯이
거기서부터 나는 어떤 두려움도 아프지 않았다
그러나 당신의 모습이 그의 시상으로 가득찰수록
나는 주제를 잃고, 시는 예민해져 버렸다

87.

잘 가길, 나의 차지로는 과분한 존재인 당신
그렇게도 당신은 자신의 가치를 웅변한다
가치를 주는 특허장은 당신을 풀리게 한다
당신과의 순간들은 모두 치명적이다
허락하지 않는다면 내가 어찌 당신을 간직할 수 있을까
그러한 부요함을 내가 차지할 수 있을까
아름다운 은혜를 받을 자격은 내게 없으나
그래서 나의 특허는 다시 흔들린다
그때는 가치를 몰랐기에, 당신이 줄 수 있었던 것
아니면 내게 실수 같은 무엇을 주었을까
당신의 위대한 선물은 오해로 태만해지고 있다
더 좋은 상념을 하려는 때, 다시 집으로 돌아온다
아첨의 꿈이라도, 내가 당신에서 즐거워질 수 있기를
그러나 꿈을 깨면 아무 일 없는 것처럼

88,

당신이 언젠가 나를 소홀히 여기고
나의 재덕을 경멸하는 눈으로 쳐다본다고 해도
나는 당신 편에서, 나 자신과 맞서 싸우며
잘못을 하더라도 당신의 미덕을 증명할 것이다
나의 약함을 가장 잘 알기에, 당신 편에서
내가 알았지만 숨겼던 결점들을
이야기로 쓸 수도 있을 것이다
당신 안에서 잃어가는 나는 영광을 얻을 것이다
이것으로 나는 이익을 얻을 수 있을 것이다
당신에게 내 모든 사랑의 사념들을 기울여
나 자신에게 주는 손상함이
당신을 이롭게 한다면, 나는 더욱 이익을 볼 것이다
이것은 내 사랑의 기화로, 당신에게 속했으니
당신의 정당함을 위해 모든 것 짊어지니

89.

어떤 과오로 인해 나를 버렸다고 하시면
나는 그러한 위반에 대해 고심할 것이다
나의 파행을 말한다면, 과장스럽게 그만둘 뿐
당신의 항변에 변명하지 않을 것이다
사랑은 치욕일 수는 없고, 나는 반쯤 아프지만
욕망의 변화에 따라 자율을 정할 수도
당신의 뜻을 알고 수치스럽게 여겨져도
모르는 사이같이 타인으로 여겨지지만
당신의 발길 없이, 나의 언어도 찾을 길 없이
사랑의 이름은 더 이상 볼 수 없을 것이다
내가 너무 모욕스럽게 잘못이지 않았기를
어쩌면 우리의 오랜 우연을 말한다
당신을 위해서, 나는 투지를 맹세하며
당신이 미워하는 이를 사랑할 수는 없으니

90.

그러니 원할 때 나 미워하오, 지금이라도
세상이 나의 행위를 지나쳐 향해 갈지라도
운명의 여신은 그에 힘을 합쳐, 나를 쓰러뜨리다
뒤늦은 후폭풍에 빠져들지 않기를
아, 내 마음이 슬픔의 풍경을 위할 때 피하기를
정복당한 비애의 뒤편으로 오지는 않기를
바람이 부는 밤, 비 오는 내일이 있지 않고
전복을 기도하며 주저하지만
나 떠나려거든 마지막은 아니게
작은 사소한 슬픔들이 악의로 괴롭게 할 때
그러나 급습해 온다면, 나는 운명의 최악을 맞을 수 있다
그리고 비애의 연속은 지금의 슬픔처럼
당신을 잃는 것에 비할 바 없다

91.

어떤 이에게 신분, 어떤 이에게 재능
어떤 이에게 재물, 어떤 이에게 육체의 힘
어떤 이는 어울리지 않는 유행하는 의복을
또 매나 사냥개, 말을 자랑하기도 한다
저마다의 기질로 즐거움을 쫓지만
그들은 다른 것들을 찾기도 하나
그러나 이러한 이유들은 내 기준이 될 수 없다
한 가지의 최선으로, 나는 무엇보다 우월하게 있다
당신의 사랑은 높은 신분보다 고귀하고
재물보다 값지며, 값비싼 의복보다 자랑스럽고
매나 말보다 더 큰 인기를 얻을 수 있다
당신이 지닌 것은, 남자가 자랑할 수 있는 긍지일 것이다
그러나 어떤 이유로 나는 비참해질 수 있다
당신은 모든 것을 앗아갈 수 있다는 것이

92,

그러나 당신이 최악을 행하고 사라졌을 때에도
내 생애 동안 당신은 나의 것으로 확정되었다
내가 당신의 사랑보다 더 오래갈 수는 없을 것이다
모든 것은 당신의 사랑에 의지해 있으니
그러니까 나는 최악의 잘못까지 두려워할 필요는 없다
당신의 변덕에 따른 기대보다
더 나은 상태가 있음을 나는 알고 있다
당신은 그렇게 나를 괴롭힐 수 없을 것이다
나의 노래는 당신의 반역에 달려 있기에
오, 얼마나 행복한 뇌리에 빠져 있는 것일까
당신의 사랑을 얻는 행복! 죽을 수 있는 행복!
그리고 잘못을 넘어서는 축복의 아름다움은 무엇인가
실수가 있어도, 나는 모를 것이다

93.

그렇게 나는 속아주는 남편과 같이
당신을 진실하다고 생각하며 살 것이다
당신이 변할지라도, 사랑은 새로운 새콤함인 것처럼
당신의 미모는 나에게서, 마음은 다른 데 있어도
당신의 눈에는 증오가 살 수 없기에
나는 당신의 변화를 알 수는 없을 것이다
허다한 사람의 모습에는 거짓 같은 마음의 역사가
찡그린 얼굴과, 낯선 주름으로 쓰여 있다
그러나 당신이 창조한 하늘에서 나는 소환한다
달콤한 사랑은 당신의 얼굴에 늘 있는 것처럼
당신의 생각과, 속마음이 어떠하든
당신 얼굴은 다만 감상적인 이야기를 보여준다
이브처럼, 당신의 아름다움을 탐할 수 있을까
당신의 미소가 답하지 않는다면

94,

그들은 남을 해칠 힘이 있어도 해롭지 않게
무려 행할 수 있어도 그들은 행하지 않는다
다른 이들을 감동시키지만, 자신들은 돌처럼
냉정하고, 차갑게, 어떠한 유혹에 빠지지 않는다
그들은 하늘의 은혜를 상속받는다
그리고 자연의 부요함을 절제하며 누린다
자신들의 얼굴의 주인이자 소유자가 되며
다른 이들은 그들의 탁월함의 영예일 것이다
여름의 꽃은 여름을 달콤하게 한다
그대로 다만 살다가 죽지만
그러나 만약 꽃들이 병을 만나면
가장 보잘것없는 잡초라도 그의 존엄을 해칠 수 있다
가장 달콤한 것들은 사큼하게 변해진다
잡초보다 병든 백합은 더 나쁜 냄새를 풍긴다

95.

치욕은 얼마나 달콤하고 사랑스럽게 놓는가
향미로운 장미꽃 속의 벌레처럼
피어나는 아름다운 이름을 점점이 물들이는가
오, 어떤 향기가 당신의 죄로 감싸지는 있는가
당신의 지난 이야기를 들려주는 혀도
당신의 향락에 대해 도전적인 말을 만든다
비난 속에서도 일종의 찬사는 남아 있고
당신의 이름을 노래하면 악담도 축복으로 된다
악덕의 저택은 얼마나 거대한지!
그 거처를 당신은 택했으니
그곳에서는 모든 오점도 아름다움의 베일로 가려지고
눈에 비친 모든 것들 아름답게 빛난다
소중한 마음은 특권에서 조심해야 한다
가장 날 선 칼은 무뎌질 수 있기에

96,

누군가는 당신의 잘못에 대해 말하기를
한때의 젊음으로 돌리면서, 또는 치기라고 한다
또는 누군가는 당신의 우아함에 대해서
젊음의 빛과 같고, 또 부드럽게 향락 같다고 한다
우아함과 결점 모두 이렇게 저렇게 사랑받는다
그러나 당신에 의한 자들에게 그러한 결점은 가려진다
왕좌에 앉은 여왕의 손가락에서
보잘것없는 보석도 가치 있는 것처럼
당신 안에서 보여지는 잘못들은
진실된 것으로 번역되고 그렇게 만들어진다
많은 양들은 얼마나 고집스런 늑대를 배반하는가!
양과 같이 그의 모습을 번역할 수 있다면
많은 보는 이들은 얼마나 열렬해질 수 있는가
당신의 모든 좋은 힘을 사용함으로
그러나 당신에게 그렇게 사랑을 전해지고
당신은 나의 것, 내게는 좋은 보고와 같다

97.

질주하는 한 해를 즐겁게 하는 당신에게서
멀어져, 나는 겨울 같이 얼마나 황량했던가!
차갑게 얼어붙는 시간 속에서, 어두운 날들을 보았다
오랜 십이월은 어디서나 헐벗어 있었다
그러나 그렇게 끊어진 시기는 여름철이었다
부유한 결실로 부푼 풍요로운 가을은
남편을 여읜 과부의 미궁과 같이
수수한 시절을 제멋대로 맺는다
그러나 이 풍부한 수확이라도 내게는
고아나 아비 없는 자식이 바라는 것과 같다
여름철의 즐거움이 당신을 기다리지만
당신이 가고 없는 곳에서 새들은 침묵한다
노래할지라도, 드문 환호와 같이
잎새들은 창백해져 다가오게 될 겨울을 염려한다

98.

당신으로부터 멀어져 있을 때는 봄이었다
자부심을 뽐내는 사월은 모두 산뜻하게 옷을 입고
모든 것에 젊음의 정신을 불어 넣었다
우울한 농업의 신은 그와 함께 웃고 뛰었다
그러나 새들의 짝짓기도
형형색색의 꽃들의 달콤한 향기도 알 수 없이
여름의 이야기를 들려줄 수 없었다
그것들이 자라는 곳에서 손 가는 대로 딸 수도 없었다
하이얀 백합을 감탄하지 않을 것이고
장미의 심홍색을 찬미하지도 않을 것이다
그들은 달콤했지만 환희의 모습과 같이
당신을 따라서 닮아 있다
당신은 모든 것의 전형과 같다
그러나 여전히 겨울처럼 당신은 멀어져 있다
나는 당신의 그림자와, 꽃들을 함께 보냈다

99,

그러나 일찍 핀 제비꽃을 나는 힐난했다
달콤한 도둑, 당신의 향기는 어디로부터 훔쳐 왔을까
내 사랑의 숨결이 아니라면, 진한 보랏빛은
당신의 부드러운 뺨 위에서 혈색처럼 필 수 있을까
내 사랑의 혈관 속에서 당신은 처절하게 죽어 있다
당신 손에 있는 하이얀 백합을 나는 비난했다
그리고 마저럼의 꽃봉오리는 당신의 머리털을 훔쳤고
장미들은 가시에 질려서 새침해 있다
하나는 부끄러워 붉어지고, 다른 것은 하얗게 절규한다
붉지도 희지도 않은 다른 것은 둘을 훔쳤던
함께 당신의 숨결까지도 앗아갔다
그러나 훔치는 죄로 만발하여 거드름을 피울 때
복수의 벌레는 죽도록 그것을 먹고
내가 살펴보았던 더 많은 꽃들은, 볼 수 없었다
그러나 달콤한 느낌은 당신에게서

100,

뮤즈, 당신은 어디에 있는가, 오랫동안 잊혀져 가듯이
모든 힘을 다해 당신에게 바쳐졌던 것들을 말할수록
가치롭지 못한 노래에 당신은 분노를 쏟는다
당신의 힘을 어둡게 하면서 가벼운 주제에 빛을 주려는가
잊혀진 뮤즈는 돌아오기를
헛되이 보낸 때를 새로운 시간으로 보충한다
당신을 존경할수록 귓가에 노래를 하고
문인들에게는 시의 기법과 말의 힘을 준다
일어나라 뮤즈여, 내 사랑의 달콤한 얼굴을 바라보라
시간에 의해 거기에 주름이 새겨져 있다면
그렇게도, 풍자로 부패해지고
어딘가에서 시간에 망쳐진 것들은 경멸을 받는다
낭비되어진 시간보다 내 사랑에 힘을 주도록
시간의 낫과 칼을 막아서서

101,

오, 태만한 뮤즈여, 당신은 어떻게 보상할 것인가
미의 미를, 진을 당신이 등한히 여긴 것에 대해
진도 미도 내 사랑에 의지하지만
그렇게 당신 또한 품위를 지킬 수 있다면
뮤즈여 대답하라, 아마 당신은 말할 수 없겠지만
'진실은 고정된 색이 있으므로, 채색이 필요 없고
아름다움은 진실에 있기 때문에, 가필이 필요 없다
그러나 섞이지 않는 것이 최상이다'라고
그가 찬사를 보내지 않는다고, 벙어리처럼 있을 것인가
침묵으로 변명할 수 없이, 그것은 있었다
금빛 무덤보다 더 오래 갈 수 있고
후세의 찬사를 받을 수 있도록 하는 것은
개방하라 뮤즈여, 나는 당신에게 말한다
지금처럼 길이 당신을 볼 수 있기를

102,

사랑은 강렬하다, 보기에 약해진 듯하지만
그만둘수록, 나의 사랑은 줄어들지 않고
사랑은 이미 곳곳에서 충분한 효과를 받고 있다
소유자의 말들은 모든 곳곳에서 출판된다
우리의 사랑은 늘 새롭고, 그때는 봄의 일이었다
내가 언제고 인사에 익숙해졌을 때
여름의 목전에서 필로멜이 노래한 것처럼
그러나 무르익은 시절에 그의 피리는 그쳐 버렸다
여름이 덜 즐겁다는 것은 아니다
애처로운 찬가는 밤을 비운다
야성의 음악은 모든 가지를 깨우고
달콤한 소리는 흔해져 소중한 즐거움을 잃는다
그녀와 같이, 나는 때로 잠잠히 있어야 한다
내 노래가 당신에게 잊혀지지 않게

103,

아아, 나의 뮤즈는 가난한 소리를 가져오는가
그러한 광대함 속에서 그녀는 자부심을 갖고
모든 토로의 말들은 더 가치가 있을 것이다
나의 찬사를 덧붙이고 의외로 말할 수 있다
아, 내가 더 이상 글을 쓸 수 없다면 비난할 수 없기를
당신의 유리잔에 비친 얼굴을 바라본다
나의 시구를 무색하게 하고, 무치스럽게
무심한 나의 창작을 넘겨 지나치는 그를
전에 **훌륭**했던 주제를 두고
오히려 고치려고 하는 것은 아닌 것이 않을까
내 시가 다른 이들에게 알려질 수 있고
당신의 우아함과 재능에 대해 전해질 수 있다면
나의 시에서 더 많은 것은 안락할 수 있다
잔에 비친 당신은 그렇게 보여줄 것이다

104.

아름다운 친구여, 당신은 내게 늙어 있지 않다
내가 처음 당신의 눈을 마주쳤을 그때처럼
당신의 아름다움은 여전하구나, 세 번의 겨울 추위는
숲으로부터 세 여름의 자존심을 흔들었다
세 번의 싱그러운 봄은 노란 가을로 바뀌고
계절의 변화 속에서 나는 보았다
사월의 향기가 세 번의 뜨거운 여름 속으로 사라지는 것을
당신을 처음 본 순간부터 신선하게, 아직도 푸르구나
아, 시계가 돌아가는 것같이 아름다움은
그의 모습을 잊고 속도를 전하지 못한다
당신의 아름다운 기품은 여전하다고 생각하지만
움직일 수 없이, 내 눈은 속는 것일 뿐
아직 후세의 사람들은 듣기를
그들이 태어나기 전에 미의 여름은 이미 죽었다

105.

내 사랑을 우상숭배라고 부르지도 않고
나의 연인을 우상의 모습으로 보지도 않게
나의 노래와 찬사는 한결같이 그렇게
하나씩, 하나로, 그렇게, 영원히
선함은 내 사랑같이 오늘도, 내일도 선하고
놀라운 미덕으로 언제나 그렇다
그러나 나의 시는 변함없는 길을 보인다
한 가지를 표현하는 것은 차이일 수 없지만
진, 선, 미는 나의 모든 토로이며
진, 선, 미는 다른 말로 노래할 수 있을 뿐
이것의 변화에는 나의 상상력이 발휘된다
세 가지 가치는 하나로 포용될 수 있고
세 가지는 때로는 홀로 있으나
아직까지 함께한 적은 없을 것이다

106,

지나간 시간의 연대기에서
지극히 아름다운 사람들에 대한 묘사가 적혀 있다
아름다움은 아름다운 것의 옛 시율을 만든다
죽은 숙녀와 준수한 기사를 예찬하면서
손, 발, 입술, 눈, 이마
그들의 아름다움이 기록된 문장에서
옛 문인이 표현하고자 했던 것을 나는 본다
당신이 지금 지배하고 있는 아름다움이라는 것을
그러니 모든 찬사는 우리 시대를 예견하지만
당신을 위한 예시에 불과할 뿐이다
신성한 눈으로만 볼 수 있으므로
당신의 가치를 충분히 노래할 수는 없었다
지금 시대를 바라보는 우리들을 위해서는
찬사의 말은 부족하다

107.

나 자신의 두려움과, 꿈꾸는 넓은 세상에서
다가올 일들을 예언하는 그의 영혼도
나의 진실한 사랑의 기한을 좌우할 수 없다
갇힌 운명에 대한 몰수는 예정되어 있고
불운의 달은 그녀의 월식을 견딘다
슬픈 예언자는 자신의 예측을 조롱한다
그러나 불확실성은 확신으로 변하여 왕관을 쓰고
평화는 올리브의 끝없는 번영을 선언한다
가장 향기 나는 시간의 이슬에 젖어
나의 사랑은 가장 생소한 순간을 볼 수 있기를
죽음이 기약된다, 어떤 원한이 있다고 해도
나는 이 서툰 운율 속에서 살 수 있을 것이다
그가 어리석고 말 못하는 부족을 모욕하더라도
이 시에서 기념비를 찾을 수 있을 것이다
폭군의 문장과 금청동의 무덤이 사라졌을 때에도

108,

시가 쓸 수 있는 어떤 묘사가 머릿속에 남아 있을까
미처 보이지 않은 진실한 마음
새로운 할 말과 같이, 써볼 수 있을까
내 사랑을 또는 당신의 재덕을 표현할 수 있을까
아니다, 그러나 신성한 기도와 같이
매일 같은 이유에서 되풀이한다
나 당신의 것이라 할 뿐, 오랜 것같이 않게
고결한 이름을 처음 신성히 여겼을 때처럼
영원한 사랑은 사랑의 생경한 사례와 같이
세월의 먼지와 상처는 허무하지 않고
시간의 주름에 자리를 내주지 않고
그러나 그의 시대를 위해 고대를 만든다
사랑의 첫 느낌을 발견할 수 있다
시간과 외형적 형태가 죽은 것 같아도

109,

아, 당신에게 소홀했다고 결코 말하지 마오
이별 속에서도, 정열 속에서 그렇게 자격은 부여되고
나 자신으로부터 떠나는 것은 쉽지만
당신 품에 깃든 내 영혼은 떠날 수 없어
그곳은 내 사랑의 집과 같다, 내가 방랑한다면
여행했던 사람처럼 나는 다시 돌아올 수 있다
때가 되면 그동안 변함없는 모습으로
나의 오점을 씻을 수 있게
모든 혈통의 약점들이
내 천성을 군림하더라도 알지 않게
당신의 좋은 전부를 이유 없이 버릴 만큼
그렇게 타락했다고는 믿지 않기를
당신이 없다면, 이 넓은 우주를 공허라고 부르겠다
나의 장미여, 당신은 내 모든 것이다

110.

아아, 슬프게도, 나는 여기저기 돌아다녔다
나 자신을 우스꽝스럽게 만들어
그러한 생각들에 상처를 입히고
가장 귀한 것을 값싸게 팔아
사랑에 대해 위반을 하였다
가장 진실한 것은 내가 진실을 보았다는 것이다
비스듬히 낯설게, 그러나 무엇일 수 없이
이러한 일탈은 내 마음에 또 다른 일탈을 주었다
그러나 중요한 것은 당신은 나의 최고의 사랑과 같다
모든 것이 끝난 지금, 끝이 되지 않도록
이제는 옛 사랑을 두고
욕망을 새로운 것으로 연마하지 않을 것이다
사랑의 신은 나를 가두어 두었다
당신이 나를 환영할 수 있을까
하늘보다 더 좋은 당신에게
순결하고, 사랑스러웠던 당신의 마음에

111,

아아, 나를 위해 당신은 운명을 힐난한다
내가 했던 해로운 죄는 여신으로 인하여
그녀가 내 삶에 부여했던 것보다 좋을 것은 없었다
세상이 길러주는 관습적 수단들 외에는
그래서 내 이름은 유명을 갖게 되었던 것이다
그런 후에 나의 천성은 염색공의 손에서와 같이
과업에 대해 얽매인 것도 그런 때문이다
그러나 나는 새롭게 개선되기를 소원한다
나는 심한 병을 면하기 위해
극약을 마실 것이다, 마음먹은 환자와 같이
아무리 쓴 것도 쓰다고 여기지는 않을 것이다
과오를 바로잡는 데 이중의 고행도 감수할 것이다
소중한 친구여, 나를 불쌍히 여기기를
당신의 동정만이 치유될 수 있으니

112,

당신의 사랑과 연민은 모든 인상을 채운다
속된 추문이 내 이마를 덮을지라도
선과 악이라 불렀던 것이 무슨 소용이 있을까
당신은 그렇게 악을 푸르게, 선을 아름답게 허용한다
당신은 나의 온 세상, 당신의 말에 의해
나의 수치심과 찬사를 볼 수 있다
아무도 없이, 누구를 위한 것도 아니지만
냉철한 감각으로는 옳고 그름을 변화시킬 수 없다
깊은 심연 속에서도, 나는 타인의 목소리에 관심을 던진다
내가 더하는 감각들은 더 크게 확장될 수 있다
비평도 아첨도 멈춰질 수 있고
나는 얼마나 무관심을 내보이는지
당신은 나의 목적으로 번영하고
온 세상은 당신 외에 죽은 것 같은

113,

당신을 떠난 후, 나의 눈은 마음 속에 있다
그리고 일어나 나를 지배했던 것들은
그의 기능을 잃어버려 부분적으로 눈이 멀었다
볼 수 있는 것 같아도 사실은 그렇지 않았다
그것은 어떤 형태도 마음에 전달되지 않는다
새, 꽃 또는 그것이 걸리는 모양들은
빨리 보는 것에 마음은 참여하지 못하고
나의 환영도 그것이 잡는 것을 붙들지 못한다
만약 그것이 조야하거나 부드러운 가벼움을 본다면
가장 달콤한 호의 또는 일그러진 피조물을
산 또는 바다, 낮 또는 밤
까마귀나 비둘기, 당신의 특징에 따라 모습은 변한다
당신만으로 채워져도, 더는 채울 수 없어
가장 진실된 마음은 내 눈을 허위로 만든다

114,

나는 당신의 왕관을 썼기에, 나의 마음은
제왕의 병인 아첨을 마실 수 있다고 하는가
아니면 내 눈이 보여주는 것은 진실하니
당신의 사랑에서 배운 연금술로
괴물도 괴상한 모양도
당신의 아름다운 모습과 같은 천사들처럼
광선이 모이는 순간처럼 빠르게
모든 추한 것을 완전함으로 만들 수 있다고 하는가
오, 처음과 같이, 내 눈에는 모든 것이 아첨일 뿐이구나
가장 왕답게 나의 위대한 마음은 그것을 마신다
내 눈은 그의 미각이 만족하는 것을 알고 있다
그리고 그의 구미에 맞는 잔을 준비한다
독이 있다고 해도, 가벼운 죄일 것이다
눈이 좋아하고 먼저 마시니

115.

내가 전에 썼던 시구에는 거짓말이 있었다
당신을 더 사랑할 수 없다고 말했던 것들조차도
그러나 그때는, 나의 가장 큰 사랑이
훗날 더 밝게 불타오를 것이라는 것을 알지 못했다
그러나 시간을 생각하면서, 백만의 우연은 그렇게
서약 사이, 왕의 명령이 변화되는 것과
신성한 미의 쇠락에서도, 날카로운 결의가 무뎌지는
강인한 마음을 과정에서 변화시킬 수 있었던 것이다
아, 어째서 시간의 가혹함을 두려워하는가
'가장 사랑해요'라고 말하지 못했는가
현재를 예찬하고, 미래를 의심하면서
불확실한 것을 더 확신할 수 있었다면
사랑은 유치한 것이다, 그럴텐데
여전히 자라날 수도 있는 것을

116.

진실한 마음의 결혼을 방해하는 것은
허락되지 않을 것이다, 변화가 있어 바뀌어지고
변심자가 변심하는 것으로 우연할 수 있다면
그것은 사랑은 아닐 것이다
오, 아니! 이것은 영원히 변치 않는 표지이다
폭풍우를 보아도 결코 흔들림이 없는 것처럼
그것은 하나씩 방랑하는 빛나는 별과 같다
그것의 가치는 헤아릴 수 없을 것이다
사랑은 바보가 아니다, 장밋빛 입술과 뺨은
구부러진 시간의 나침반으로 희생할 수도 없이
사랑은 짧은 시간의 주기에도 변하지 않는다
그러나 파멸의 끝에서도 지속될 것이다
이것이 틀렸다고 할 수 있다면
사랑한 적 없던 것같이, 글은 쓰여지지 않는다

117.

나를 꾸짖지 마오, 은혜를 보답했어야 하지만
나는 모든 것을 소홀히 해왔다
날마다 의무에 쌓여져 있어서
당신의 소중한 사랑을 칭송하기를 잊어 버렸다
나는 자주 이름 모를 사람들과 어울렸다
비싸게 산 권리를 낭비하며 시간을 흘려보냈다
당신의 시야로부터 멀리 나를 데려갈 수 있게
모든 바람에 돛을 달았다
나의 고집과 과오를 책에 모두 올리고
단지 추측의 증거들을 쌓았다
당신의 찡그린 얼굴로 나를 데려가 주도록
그러나 당신은 화난 미움으로 나를 쏘지 않을 것이다
당신의 사랑에 대한 한결같은 미덕을
증명하려고 노력했으므로

118,

우리는 식욕을 날카롭게 하기 위해서
마성의 양념으로 우리의 입맛을 돋군다
이름 모를 병을 예방하기 위해서
약을 쓰고 미리 병을 앓기도 한다
바로 그렇게도, 나는 싫증 없는 당신의 달콤함에 배불러
날카로운 소스를 쳐서 맛있는 음식을 만들었다
그리고 건강이 지겨워서 적당한 방법을 알아보았는데
병에 걸리기 전에 미리 앓아 보는 것이다
이렇게 사랑의 기술은 예상한다
악이 없는 곳에서 불합리한 과오가 자란다
그리고 지나친 선을 악으로 고칠 수 있도록
건강한 몸에 약을 먹게 한다
나는 교훈을 받았다
약을 먹고 질릴 수 있게

119,

아, 나는 사이렌의 눈물을 마셨다!
지옥같이 더러운 증류기에서 뽑은 눈물도
두려움은 희망으로, 희망은 두려움으로 기울어
내가 이겼다고 생각했을 때도 질 수 있지만
행복을 누리고 있다고 생각하는 동안
나는 얼마나 초라한 잘못을 저질렀는가
눈망울이 튀어나올 정도로 얼마나 그랬는가
이 미칠 것 같은 열병의 고민 때문에
오, 악의 이익! 나는 깨달았다
악은 선한 것을 더 선한 것으로 만들어준다는 것을
그러니 깨어진 사랑도 새롭게 되살리면
처음보다 더 아름답고, 강하고, 위대하게 자랄 수 있다
나는 비난을 통해 다시 만족을 얻는다
악은 나를 가질 수 없기를

120.

한때 무정했던 것이 도움을 준다
내가 겪었던 슬픔에 대해 나는 알았고
나의 죄로 인해 허리 굽혀 사과를 한다
내 힘줄이 청동 또는 망치로 두드린 강철이 아니라면
당신이 나의 무정으로 흔들렸다면
당신이 지옥과 같은 한때를 보내고
내가 괴로워한 것과 같다면
그러나 당신의 죄로 나는 얼마나 무거운 고통을 겪었는가
포악한 나는 여지를 갖지 못했다
오! 불행한 그 밤은, 내 마음으로 하여금
진정한 비애가 얼마나 심각한 것인지 기억시켰다
이제 당신은, 나에게, 겸손한 위로를 주면서
상처받은 마음을 회복시켜 줄 수 있다면
당신의 과오는 보상이 될 것이다
그것은 당신과 나에게 속죄와 같지만

121.

사악하다 여겨지는 것보다 사악한 것이 나을까

그렇다면 비난이 돌아오지 않을까

우리의 느낌이 아니라 타인의 관점으로 간주된다면

즐거움은 피력되지 않을 것이다

어째서 허위의 더러운 눈이 내 피의 즐거움을 알려 하는가

아니 내 약점을 왜 더 치부하며 찾아내려 하는가

나의 선을 악하다고 억지로 여기는가

나는 나고, 그들과는 다른데

그들의 남용에 대해 나는 생각한다

그들은 어긋나져 버려도, 나는 곧게 갈 것이다

악한의 생각에, 나의 행위는 보여지지 않게 할 것이다

만연한 악이 유지될 수 없게

모든 이가 악하고, 악함이 지배하지 않는 한

122,

당신이 준 수첩은 내 머릿속에 있다
잊을 수 없는 지난 순간들을 재미있게
기억의 목록으로 빼곡히 적어 두었다
시간이 지나도 계속 남게 될
적어도 나의 머리와 가슴이
모든 기능에 의해 존재하는 한
망각의 파편으로 사라질 때까지
당신에 대한 기록은 놓을 수 없을 것이다
그러나 나의 헤픈 보유력은 큰 힘이 될 수 없이
소중한 사랑에 이익을 주지 않고 가져올 수 없었다
내가 기억을 내준 것은 대담한 것이다
당신을 알기 위해 기억의 부속마저 내주는 것
내 안에 건망증을 도입할 수 있다면

123.

시간이여, 내가 변했다고 자랑하지 말기를
새로운 힘으로 세워졌다는 당신의 피라미드도
놀라울 것 없고 특별한 것 없다
그것은 전과는 다른 낯선 노래일 뿐이다
우리의 날들은 짧다, 그러므로
새것이라고 부르는 오래된 것들을 찬미하고
전에 들은 적이 있는 것들에 대해 과신을 하지만
오히려 그것에서 우리의 욕망은 탄생된다
그러나 당신의 기록과 나와 당신을 부인한다
현재도 과거도 놀랍지 않고
당신에 대한 기록과 우리가 본 것들은 거짓과 같다
당신의 계속되는 성급함에도 침묵은 커져간다
이것을 주장하고 이렇게 계속될 수 있으니
시간의 낫에서, 나는 진실될 수 있다

124,

소중한 사랑이 떠도는 방랑아와 같이 있다면
운명의 사생아와 같다고 할 수 있을까
다투는 시간 속에서 사랑과 미움의 화제가 되며
풀의 풀로도, 꽃들 속 꽃들로도 새울 수 없지만
아니, 사랑은 우연으로 통할 수 없니
한껏 속박에서 오는 불만에도 쓰러지지 않고
웃어주는 허영에도 영향을 받지는 않는다
시간을 초대하는 곳에서 유행을 불러들이고
짧은 시간을 빌리는 이단 같은 술책을 두려워하지 않는다
그러나 그것은 전부, 홀로 거대의 정치를 만든다
여름의 화염을 키우거나 소나기에 죽지는 않을 것이다
나는 세월의 바보들을 불러 증명하고 있다
악을 살았던 이들은 선함을 위해 죽는다고

125,

차양으로 떠받치는 것이 무슨 의미가 있을까
겉으로 존경을 드러내는 데 지나지 않는 것을
사라지지 않을 기초처럼 보여도
낭비나 쇠퇴보다 더 무너질 수도 있지만
형식과 의례에 의존하는 사람들이
더 많은 대가를 치르고 잃어버리는 것을 나는 보았다
순전한 것을 버리고 복잡한 허례허식을 찾아
번성하는 사람들은 가련하게도 주장함에 힘을 낭비하니
그러나 나는 당신의 마음에 순수를 바친다
초라하지만 자유로운 나의 헌신을 바친다
조금도 섞일 수 없이, 술책 따위는 알지 못하고
당신과 나만이 서로 희생할 수 있는 것으로
허탄함은 물러가라! 진실한 영혼은
가장 비방을 받을 때도 조금도 속박되지 않으니

126,

오, 사랑스러운 당신, 당신의 힘은 시간의 낫과
변덕스러운 시간의 유리잔에 비치고
기울어질수록 자라나, 그렇게도 말할 수 있을 것처럼
연인들은 시들면 달콤한 당신은 기울어진다
쇠퇴를 다스리는 여왕인 자연은
당신으로 하여금 앞서 나가도 뒤로 갈 수 있도록 하여
목적에 당신을 보류시킴은,
세월을 경시하고 가련한 시간을 죽이는 것이다
그러나 자연을 무서워하라, 그녀의 총아인 당신에게
한때 소중했을지 모르나 길이 간직하지는 않을 것이니
자연의 청산은 늦더라도 이행될 것이며
그녀의 결산은 당신에게 넘겨질 수 있다

127.

옛 시대에 검은색은 아름답게 생각되지 않았다
그렇더라도 미의 이름은 갖지는 못했다
그런데 지금은 검은 빛이 아름다움을 상속했지만
수치스럽게 비난을 받는다
각 사람의 손이 자연의 힘을 가장한 이래로
예술의 거짓된 얼굴을 가져와, 추를 아름답게 하여
달콤한 아름다움은 이름도 없이 신성한 거처도 빼앗기고
치욕일 수 없이 모욕을 당하고 있다
그러므로 내 애인의 눈은 까마귀 같이 검고
그녀의 눈은 애수에 잘 어울린다
미인으로 태어나지 않고 부족하지도 않는 사람들이
허위의 평가로 자연의 창조를 비방하는 것이다
그러나 그녀의 눈은 슬퍼하는 것도 어울려
모든 이는 미가 그래야 한다고 말한다

128,

나의 음악과 같은 당신은 얼마나 자주 연주하는가
축복을 꿈꾸는 건반 위를 예쁜 손가락으로 치면서
부드러운 소리로 연주할 때 얼마나 좋았는가
내 귀를 현혹시키는 선율의 화음을
당신이 아름답게 일으킬 때
부드러운 손가락으로 키스하듯이 빨리 흘러가는
저 건반들의 소리를 부러워한다
그러한 보물을 거두어야 할 나의 가련한 입술은
건반들의 용기 앞에 얼굴을 붉히며 있다!
그렇게 누비면서 나의 입술은 그대로
춤추는 건반들과 함께 지속한다
당신의 손가락은 부드럽게 거치면서
살아 있는 입술보다 더 우아하게 건반을 누빈다
스침은 이리도 행복할 수 있을까
그들에게는 손가락을, 내 입술에는 키스를 다오

129,

욕망을 행하는 것은, 수치스러운 낭비에 의한
정신의 소모와 같다, 행하기 전까지 욕망은
거짓, 살인, 폭력, 오욕이다
야만, 과격, 무례, 잔혹, 불신과 같다
향락이 끝나면 곧 경멸이 온다
지나친 이성을 추구하고, 그럴수록 다시 미워한다
삼킨 자를 미치게 만드는 덫과 같이
광증을 추구하고, 소유한 뒤에도 그렇다
채우고, 채우는 중이고, 채우려는 것도 모두 극단적이다
경험 중에는 축복과 같이, 뒤에는 비애와 같이
전에는 즐거움이 오고, 후에는 꿈이 오기도
세상은 다 알지만, 아무도 잘 알 수는 없다
지옥으로 이끄는 그 천국을 피해야 할 것을

130.

내 애인의 눈은 조금도 태양과 같지 않다
산호는 그녀의 입술이 빨간 것보다 더 빨갛고
눈이 희다면 왜 그녀의 가슴은 갈색인 것일까
머리카락이 줄과 같다면, 그녀의 머리털은 검은 줄과 비슷할 것이다
나는 붉고도 흰 무늬 장미를 보았다
그러나 그녀의 뺨에서는 그런 장미를 볼 수 없다
어떤 향수에서는 그녀의 숨결보다도
더 좋은 기쁨이 있다
그녀의 목소리를 사랑하지만
음악의 즐거운 소리만은 못한 것을 알고 있다
결코 여신이 걷는 것을 볼 수 없었지만
나의 애인은 언제나 땅을 밟고 있다
그러나 내 사랑은 진귀하다고 단정한다
차라리 거짓 같은 비교로 채울지라도

131.

아름답게 미모를 뽐내고 잔인한 여인들
당신은 그러한 횡포를 부리는구나
내 마음 당신을 열렬히 사모를 하고 있기에
당신은 가장 아름답고 값진 보석임을
그러나 당신을 보았던 사람들은 숨기지 않고 말한다
당신에 대한 사랑이 권능 따위는 없다고
그들이 틀렸다고 나는 말하지 않는다
혼자 속으로는 그렇지 않을 거라고 맹세한다
나의 이 다짐은 거짓만은 아닐 것이다
당신의 얼굴을 떠올리는 것만으로도
천 만 번의 고민이 흘러나올 수 있기에
당신의 목에 대해서도 나는 명백할 수 있다
당신의 검은 빛은 나에게 가장 아름답다
당신의 행위를 빼고는 아무것도 검지는 않을 것이다
다만 그것이 당신의 용모를 해치는 것은 아닐 뿐

132.

사랑스런 당신의 눈, 나를 불쌍히 여겼던 그들
당신의 가슴은 괴롭게 고통받는 것을 알고 있어요
그리고 검은색과 사랑의 애도자들은 가장하고 있다
나의 애통을 적어도 비애로 바라보면서
하늘의 아침 태양은 진정으로 빛나지 않고
동쪽의 회색 뺨이 더 자주 어울린다
저녁을 예고하는 많은 별도 아니고
침울한 서쪽에서는 영광의 반도 이르지 못한다
슬퍼하는 두 눈은 당신의 얼굴을 흐리고
오, 당신의 우아함이 애도해 주듯이
당신의 가슴은 나를 위해 울어 줄 수 있기를
모든 것들에 동정의 빛을 띠고
그리고 나는 고백한다, 미의 본질은 검은 빛이라고
당신의 안색에 드러나지 않는 것들은 모두 추와 같다고

133,

그 친구와 나에게 준 깊은 상처로 인해
내 마음에 고통을 준 당신을 저주한다
나를 괴롭히는 것만으로는 부족해서
나의 벗을 속박하려고 하는가
잔인한 당신의 눈은 나 자신을 빼앗았고
나의 또 다른 자아를 당신은 더 강하게 사로잡았다
그에게도 나 자신에게도 당신에게도 나는 버림을 받고
세 번 세 배의 고통으로 기로에 서게 되었다
당신의 냉정한 가슴의 감옥에 내 마음을 가두더라도
그러나 친구의 마음은 나의 가련한 마음을 풀려나게 했다
누군가 나를 지킨다면, 나는 그를 보호할 것이다
그러면 당신은 가혹지 못할 것이다
그러나 결국, 나 당신에게 갇혀 있기에
당신과 모든 것은 마음대로 될 것이니

134,

그렇게도 나는 그 친구가 당신의 것이고
나도 당신의 뜻대로 소유원이라고 고백한 지금
당신이 회복되고 나에게 위로를 보내준다면
나는 몰수될 수밖에 없을 것이다, 다른 것들도
허나 당신은 그리하지 않을 것이고
그도 자유롭게 되지 못할 것이다
당신은 욕심이 많고, 그는 친절하기도
그는 보증하는 법을 배워 나에게 써 주었다
그러나 증서는 빨리 속박시켰다
아름다움의 담보를 당신은 알고 있다
당신은 인색한 고리업자처럼 이용시킬 모든 것을 갖고 있다
나를 위해서 당신은 채무자인 그를 고소했고
그렇게 나의 무심한 남용으로 인해
그를 잃었다, 당신은 아직 그와 나에게 있다
그는 전부를 지불했지만, 나는 자유롭지 못한 것 같다

135,

그녀를 소원하는 누구나 당신의 '월'을 볼 것이다
'월'은 이익을 주고, '월'은 어디에나 여지를 준다
이렇게 당신의 달콤한 욕망에 가입하여
성가심을 걸고 있는 내 마음은, 그 이상으로
크고 넓은 욕망은 당신으로부터
나의 욕망은 당신에서 숨길 수 없이 그러했다
타인들의 욕망은 풍성해 보이는데
나의 그것은 어째서 응낙의 빛이 되지 않는 것일까
바다, 모든 물은 여상히 비를 받아들이고
풍성함으로 바다의 해에 흘러간다
'월'로 인한 당신은 '월'을 더 크게 만드세요
나의 것은 당신의 큰 욕망을 볼 수 있지만
무정하지도 않고, 아름다운 탄원자도 없이
오직 하나를 생각하라, 나도 그 '월' 속에

136,

다가오는 것을 당신의 영혼이 금한다면
눈먼 영혼에게 나는 '월'이었다고 고백할 수 있다
거기에 욕망이 허락될 수 있음을 당신의 영혼은 안다
멀고 달콤한 내 사랑은 채워진다
'월'은 당신의 사랑의 보물로 충만해진다
아, 욕망으로 가득 채워지고, 욕망은 하나이다
그에 대한 막대한 수취를 우리는 쉽게 전달받는다
하나가 아무것도 아닌 시간 사이에
그러면 시간과 함께 나는 말없이 지나갈 수 있다
당신의 창고의 숫자에서 나는 그렇게 하나이고
아무일 수도 없이, 당신을 기쁘게 해줄 뿐
그렇게도 당신에게 달콤함을 주는 것이다
여전히 내 이름 같은 당신의 사랑을 사랑한다
당신이 나를 사랑하는 것 같이, '월'처럼

137.

눈먼 바보 사랑아, 어떻게 나를 보고 있기에
눈은 보고 있으면서도 바로 보지 못하는가
미가 무엇인지, 또 어디에 있는지 알면서도
최고의 것을 최악으로 취급하고 있다
나는 사심에 의해 현혹되어 치우친 시선으로
사람들이 들어오는 항구를 바라보고 있었다
당신은 어째서 눈의 허위로 덫을 놓는가
내 마음의 판단은 어디로 묶여 있는가
어째서 나는 그러한 여러 가지 기도를 생각하는가
넓은 세상의 우연한 것들을 나는 알 수 있는가
아니면 나의 눈은 이를 따라서
불결한 모습에 아름다운 진실을 입힐 수 있다고 하는가
바르고 진실된 것에서 내 마음과 눈은 잘못될 수 있으니
허위라는 병에 그것은 전이되고 있었다

138,

진실에서 탄생되었다고 내 사랑이 맹세할 때
나는 믿어 버렸다, 그녀가 한 거짓말이었다고 알면서도
그녀는 나를 풋내기 젊은이로 생각한다
세상의 거짓된 미묘함을 알지 못하는
나의 한창 시절이 지난 것을 알고 있지만
그녀는 나를 젊은이로 멋지게 생각한다
순진하게, 나는 거짓을 말하는 그녀를 지지한다
그렇게 양쪽에서 솔직한 진실은 억압되었다
그러나 그녀는 왜 그렇게 부당하다고 하지 않는가
나를 나이 들었다고 생각지 않는가
오, 사랑의 최고의 습관은 믿는 체하는 것이다
사랑은 나이를 말할 수 없다
나는 그녀에게, 그녀는 나에게 속아주고
거짓말로 허물을 감추며 자랑하듯이

139,

아니, 잘못을 정당화하려고 찾지 마세요
무정함은 내 가슴을 해치고
눈이 아닌 말이 상처를 입혀요
힘에 힘을 사용하고, 기교로 죽이지 말기를
어디선가 사랑하고 있다면, 그대여
내 앞에서 흘깃 보지 않기를 바래요
어째서 당신은 교묘하게 상처를 주시나요
당신의 매력은 억눌리게 저항에도 빛날 수 있을까
당신을 위해 변명할수록, 아 내 사랑의 말은
당신의 예쁜 외모가 나의 적과 같았다고
그렇게도 그녀는 내게서 적수들을 돌려세우고
그들은 어딘가에서 상처를 입을 수 있지만
그러나 나는 거의 멸식될 지경이니
당신의 미모로 죽여 내 고통을 없애기를

140,

잔인 속에서도, 더 현명할 수 있고
지나친 경멸에도 억눌린 인내심은 없게 하오
슬픔은 할 말을 전해주지 않고
동정심 없는 고통의 말은 표현되지 않는다
당신에게 한 가지를 말해 준다면
사랑하지 않아도 그렇다고 하는 것이 나을 것이다
죽음이 가까운 초조한 환자가
회복의 소식을 의사에게서 듣기를 바라듯이
내가 혹여 절망한다면 아마 미칠 것이다
그렇다면 당신에 대해 악평할지도 모른다
그리고 곡해하는 세상은 악화될 수 있다
비방하는 사람의 말은 귀에도 믿어진다
말에 미칠 수 없게, 곡해받지 않게
눈을 세우세요, 자부하는 마음이 넓어지더라도

141,

나는 진실로 눈으로 당신을 사랑하지 않는다
눈은 천 개의 잘못을 볼 수 있기 때문이다
그러나 눈이 경멸하는 것조차 아끼는 나의 사랑은
달콤한 상상같이, 매혹처럼 당신을 사랑한다
내 귀는 당신 혀의 화사한 음을 즐기지 않는다
기저를 건드리는 상쾌한 느낌도 없이
맛도 향기도, 욕망을 초대하지 않는다
당신과 함께하는 관능적 향연과
그러나 나의 모든 재치와 오감을 향하더라도
당신을 위하는 정열의 사랑을 그칠 수 없다
남자의 그것은 미각적 노래같이 사라지고
자부심을 갖는 노예와 같이 하인이 되는 것
오로지 나의 고통만을 이익으로 생각한다
나에게 사랑을 부여한 그녀가 주는 고행이기에

142,

사랑은 나의 죄이고, 미움은 당신의 미덕이다
내 죄를 그대가 미워하는 것은 나의 죄 많은 사랑 때문이다
오 그대와, 나의 처지를 비교해 본다면
그대는 책망할 가치가 없다고 생각할 것이다
혹여라도 그렇다면, 그대의 입술로는 하지 말기를
그것은 주홍빛 장식을 모독하고
내 것만큼이나 자주 거짓된 사랑의 유대를 찍어
그들이 임대한 침대의 수익을 앗아갔다
사랑을 정당화하라, 그대가 사랑받는 것처럼
내가 그대에게 애원하듯이 그대의 눈은 구애한다
그대의 마음에 연민을 심으라, 그것이 자라면
연민은 같은 사랑을 줄 것이다
당신에게 숨겨진 것이 있다면
예외로 거절될지 모른다

143,

자, 차분한 주부가 달아나는 깃털 녀석 중
하나를 잡으려고 달려갔어요
그녀의 아기를 내려놓고, 모든 민첩함을 다잡고
그것을 찾아서 그녀는 쉬고 있었어요
떼어 놓은 아기가 그녀를 붙들려고 울었지만
그녀의 목전에서 달아나는 것을 따라가느라
아기를 바쁘게 돌보고 말았어요
가여운 아기가 보채는 것을 보상해 주지 않았어요
그래서 당신은 달아나는 것을 쫓아서 달렸어요
나는 당신의 아기처럼, 떨어져 당신의 뒤를 따라간다
그러나 당신이 희망을 잡는다면 다시 돌아와
모성으로 키스해 주고 나를 귀여워해 주기를
나는 당신에서 '윌'을 얻기를 바란다
당신이 돌아와 우는 나를 달래줄 수 있다면

144,

나는 위로와 절망의 두 사랑을 가졌다
두 애인은 가만히 나에게 알려준다
선한 천사는 바르고 공평한 남자처럼
나쁜 영혼은 다채롭고 악한 여자같이
마녀는 나를 이겨 속히 지옥으로 데려가고
나의 천사를 유혹하고 내 곁을 떠나게 만들고
나의 성인을 악마로 타락시키려 했다
그의 순결을 더러운 자만심의 그녀가 꾀어서
나의 천사를 악마로 변하게 했을까 의심되지만
명백히 알 수는 없다
그러나 둘은 나를 떠났고, 친구는 될 수 없었다
한 천사는 다른 곳에서 지옥과 같이 멀었다
알 수 없는 의심 속에 살고 있다
내 안의 나쁜 천사가 좋은 천사를 추방할 때까지

145,

사랑이 손수 만든 그 입술은
'싫어요'라고 말하며 소리를 내뱉었다
그녀를 위해 사모했던 시들어 버린 나에게
그러나 내 비참한 상태를 보았을 때
그녀의 마음에는 자비가 찾아왔다
언젠가 달콤했던 말을 힐난하면서
두려운 죽음을 선언하는 데 사용했다
그래서 나는 새로운 인사를 가르친다
'싫어요' 그녀는 끝을 바꿨다
화창한 날이 그것을 따른다
악마와 같은 밤이 지나고
천국에서 지옥까지 날아가 버린다
'싫어요' 증오를 날려 버리고
'아니에요'라는 말에 나는 살았다

146,

불쌍한 영혼아, 죄 많은 대지의 중심에서
당신을 둘러싸고 있는 이 반역의 세력들은
당신은 왜 바깥 벽을 화려하게 비싸게 치장하고
안에서는 번민과 결핍으로 그리워하는가
당신은 왜 기한이 짧은 스러져 가는 저택에
그렇게 큰 비용을 들이는가
사치스런 상속자인 벌레들에게
당신의 잉여를 먹어치우게 하는가
이것이 당신의 육체의 종결인가
그러면 영혼이여, 당신은 하인의 상실에서 잠시 사시오
슬픔이 당신의 창고에서 소모되게 하고
쓸모없는 시간을 팔면서 신성한 조건을 사고
속은 살찌우고, 겉은 더 부유함이 없이
그렇게 당신은 죽음을 먹이고, 사람들을 먹인다
죽음이 한 번 죽으면, 죽어가는 일은 없을 것이다

147.

나의 사랑은 갈망적인 열정과 같다
오랫동안 병을 치유시켜 주는 것과 같이
치닫는 아무것에도 열정을 먹이고
지속적으로 뇌리에 감도는 열정은
그것은 어딘지 쾌리하게 구미를 만족시켜 준다
나의 이성은 내 사랑을 치료하는 의사와 같으나
처방할 수 없듯이 화를 내고 떠났고
나는 절망 끝에서 알게 되었다
욕망은 죽음과도 같다고
지난 치료의 약과, 이성으로 되어도 소용없었다
미칠 듯이 사랑에 빠져 지속적으로
타오르는 야성의 생각으로 떨려온다
그러나 다시 또 당신에게
아름답다고 찬란했다고 고백한다
한밤처럼 검고 고귀한 당신에게

148,

아, 사랑이란 내 머릿속에서 어떻게 지나고 있기에
진실된 관점과 일치할 수는 없는가
만약 그렇다면, 내 생각은 어디로 갈 것인가
바르게 본 것이 아니라고 한다면
나의 상상의 눈은 맹목적 사랑을 미화하고 있는데
세상은 어째서 그렇지 않다고 하는가
그렇게나, 사랑은 증명되는 것이다
사랑에 빠진 눈은 모든 이들처럼 진실하지 못하다
오, 당연한 것이다, 사랑의 눈은 어떻게 순전해지는가
즐겨주는 시선과, 애상의 감각으로 자라는 것
바라보는 것에 수수할지라도 놀랍지 않다
하늘이 맑아질 때까지 태양은 보이지 않고
오, 사랑이여! 눈물로 멀게 하여도
진실의 눈이 당신의 결점을 찾아낼까 봐

149,

잔인한 당신! 사랑하지 않았다고 할 수 있나요
오 아직, 나 자신을 버리고 당신 편에 있는데
생각지도 못하게 외면할 수 있나요
오 이미, 당신 때문에 폭군된 것도 잊었는데
당신을 미워하는 자를 내 친구라 할 수 없고
당신에게 찡그리는 자에게 아첨할 수도 없지만
아니, 당신이 나를 다시 바라봐 준다면
현재를 더 가치롭게, 내게 복수하려 하지 않았을까
경멸만큼이나 당신에게 헌사하는 것이
나의 존중 속에서 자부심으로 높아질 수 있을 것이다
당신의 어떤 결점일지라도 최상으로 노래할 수 있을 때
내 곁에서 당신은 따라 피어날 수 있을 것이다
그러나 사랑과 증오로써 존재하는 마음
당신의 사랑을 보았던 것처럼, 나의 눈은 멀고

150,

오, 당신의 강력한 힘은 어디서 오나요
그렇게 아니, 그것은 내 마음을 흔들고 있다
나의 진실된 관점을 다르게 바꿀 수 있을 정도로
태양의 밝음도 낮을 우아하게 빛내지 않는다고 할까요
당신의 행위의 잔재 속에서
다시 아니 흐를 수 있다는 것은 어떨까요
그러나 유연한 힘과 보장된 재주가 있다면
내 마음속에서 당신의 최악은 최상으로 될 것이다
누가 가르쳤는가, 미움의 이유를 보고 들을수록
당신을 더 사랑하게 될 수 있다는 것을
오, 사람들이 증오하는 것을 나는 사랑하지만
그들과 함께 당신은 나에게 증오할 수 없기를
당신에 의한 무가치가 사랑을 일으킨다면
사랑이 눈틀 이유 더 크기에

151,

사랑은 분별을 깨닫기에 너무 어릴 수 있다
분별이 사랑에서 탄생한다는 것을 누가 모를까
그러면, 멋진 사기꾼, 실수를 재촉하지 마세요
달콤한 당신이 내 잘못을 증명할 수 없도록
당신에게 배신당하고, 나는 배신하므로
육체의 반역보다 더 나은 것을
나의 영혼은 육체에 말한다
그는 사랑에서 승리할 수 있을 것이라고
육체의 살은 더는 이유를 남기지 않는다
그러나 당신의 이름이 일으켜질 때
전리품처럼 당신은 지목되게 된다
자부심으로 자랑하고, 나는 당신의 마음에 만족될 수 있게
당신과 함께 서거나, 곁에 쓰러진다
내가 그녀의 사랑을 부르는 것은
분별없는 것은 아닐 것이다
소중한 사랑으로 일어나고 쓰러지다

152,

당신은 안다, 사랑의 약속을 나 저버린 것
그러나 당신은 두 번의 사랑의 맹세를 저버렸으니
결혼 서약을 깨고, 새로운 사랑 후에
미움을 서약함으로 신의를 깨뜨렸으니
그러나 두 번 파약한 것으로 나 당신을 비난할 수 있는가
나 스무 번이나 어기지 않았던가, 나는 거짓을 말했다
나의 모든 서약은 당신에게 잘못한 맹세이고
모든 정직한 신의를 당신에 의해 잃어버렸다
당신의 깊은 친절함에 나는 굳은 맹세를 했다
당신의 사랑, 진실, 정숙에 대하여
당신을 깨닫게 하기 위해, 나는 맹목적이었다
아니, 눈에 보이는 것들에 맹세를 했다
그러나 당신을 아름답다고 했던 맹세는 거짓된 것이다
진실에 반하여 거짓을 맹세했기 때문에

153,

어느 날, 큐피드는 횃불을 옆에 두고 잠이 들었습니다
다이아나의 한 시녀가 이를 좋은 기회로 여겼고
그리고 그녀의 사랑의 불꽃을 일으키는 불을 재빨리
땅의 차가운 골짜기 샘물에 담갔습니다
샘물은 사랑의 신성한 불길에서
끊임없이 지속되는 생생한 열기를 가져왔어요
그것은 끓어오르는 온천이 되었고
그곳에서 괴이한 병을 치료할 수 있었다고 전해집니다
그러나 내 연인의 눈에 사랑의 횃불이 다시 타올라
큐피드는 시험하려고 나의 가슴에 대었어요
나는 아파서, 욕망의 온천의 도움을 받으려고
그곳으로 달려갔지요, 슬픈 병자의 모습으로
그러나 그곳에 치유는 없었어요, 나를 낫게 할 온천은
큐피드가 새로운 사랑의 불을 일으킨 곳
내 연인의 눈 속에 있기 때문입니다

154,

어느 날 작은 사랑의 신은 누워 잠들어 있었습니다
그는 옆에 사랑을 불붙이는 횃불을 놓았고
그때 순결을 지키겠다고 맹세한
많은 님프들이 지나갔어요
그리고 수많은 남자 군사들의 가슴을 뜨겁게 했던
그 횃불을, 가장 아리따운 처녀가 붙잡았어요
정열의 사령관은 잠을 자다가 그만
그 처녀의 손에 마음을 빼앗기게 되었죠
그녀는 그 횃불을 차가운 샘물에 꺼 버렸고
그러자 사랑의 불은 영원한 열기를 얻어
온천이 되고 치유의 약이 되었습니다
그러나 사랑의 노예인 나는
치유를 위해 그곳에 가서야, 알게 되었어요
사랑의 불로도 사랑을 식히지 못한다는 것을